ファクトで読む
米中新冷戦とアフター・コロナ

近藤大介

講談社現代新書

2602

はじめに

２０２１年、新型コロナウイルスに揺れた一年を経て、アフター・コロナの時代が幕を開けました。本書は、日本を取り巻く東アジア情勢の取材・研究を30年以上にわたって行ってきた私が、アフター・コロナ時代の日本に関わる二つのテーマについて書きました。

一つ目のテーマは、中国式の社会主義はこの先、果たして生き残れるのかということです。私は習近平（しゅうきんぺい）氏が中国共産党総書記に就任した２０１２年11月の第18回中国共産党大会を、北京の人民大会堂で取材しました。以後、現在まで8年以上にわたり、習近平総書記の公開された活動や演説などは、ほぼすべてフォローしてきました。そんな立場から、現在の中国式の社会主義が生存できるかという大命題を、「親中」や「反中」という感情ではなく、ファクトで読み解きました。これが第１章です。

1月20日、アメリカでは、ジョー・バイデン政権が発足しました。前任のドナルド・トランプ政権の時代、「米中新冷戦」に突入したと言われました。中国側から見れば米中新冷戦は、７つの段階で進んでいきます。それは、①**貿易**・②**技術**・③**人権**・④**金融**・⑤**疫病**・⑥**外交**・⑦**軍事**です。これらは、一段階ずつ進むのではなく、互いに複雑に絡み合いながら、重層的に展開していきます。

　そんな中、中国は、「アメリカとの長期的かつ全面的な対立は不可避」と見切っています。「建国の父」毛沢東主席を崇拝してやまない習近平主席が説くのは、毛主席が日中戦争最中の１９３８年に唱えた『持久戦論』です。当時、アジア最強を誇った日本軍に勝つには、戦略防御・反攻準備・戦略反攻という３段階で、長期戦に持ち込んで迎え撃つしかないというのが毛主席の考えでした。同様に習近平政権も、アメリカとの持久戦を覚悟しながら、バイデン新政権と対峙していこうとしているのです。そこには、「時間は中国に味方する」という発想があります。遅くとも10年後には中国が世界一の経済大国になる見込みです。

　20世紀後半を通じて行われた東西冷戦は、周知のように、社会主義陣営を率いたソ連が１９９１年に崩壊して幕を閉じました。同様に、21世紀の米中新冷戦も、社会主義の中国が敗北して終わるに違いないとの観測が、日本では主流に見受けられます。

　果たして、本当にそうでしょうか？　普段、ファクトで米中を俯瞰している私からすると、話はそう単純なものではありません。具体的には、主に以下の３つの事由によります。

　第一に、現在の中国式の社会主義は、１９４９年に中華人民共和国という社会主義国が誕生して始まった制度ではありますが、実際には、２０００年以上にわたって中国で連綿と続いてきた皇帝制度の延長だからです。社会主義とか共産党などと言っていますが、要は中国伝統の皇帝制度を換骨奪胎させただけであって、「習近平皇帝」が14億の民を統治するシステムです。そのため、中国人が中華料理を食べるのを止めないように、強権的な中国の統治システムも、一朝一夕に崩壊するものではないのです。

第二に、前世紀のソ連の社会主義と較べて、中国式の社会主義は、時代に恵まれているからです。私は「５つの順風」と呼んでいます。

一つ目の順風は、東西冷戦終結直後の１９９２年に、鄧小平氏が「社会主義市場経済」という、経済の分野だけを市場化させるユニークなシステムを採用したことです。国民が共産党の政治体制に抵抗しない見返りに、金持ちになる自由を与えたため、中国の飛躍的な経済発展の基礎が築かれました。「ＢＡＴＨ」（バイドゥ、アリババ、テンセント、ファーウェイ）と呼ばれる中国ＩＴ４強も、この政策を受けて発展しました。

二つ目の順風は、２００１年にＷＴＯ（世界貿易機関）に加盟し、グローバリズムの波に乗って貿易を伸ばしたことです。現在、中国は世界最大の貿易大国で、日本を含む１３０ヵ国以上が中国を最大の貿易相手にしています。三つ目は、２００８年の世界的金融危機（リーマン・ショック）の際、５ヵ年計画を実行する長期安定政権の強みを見せつけ、世界経済復活の牽引役を果たしました。「米中2大国」と称されるようになったのはこの頃からです。

四つ目は、２０１０年代半ばの習近平政権下で、中国はＡＩ（人工知能）時代に突入しましたが、ＡＩと社会主義との親和性が抜群なことです。14億人のビッグデータを自由に取れる強みが発揮され、中国は一躍、ＡＩ大国にのし上がっていきました。

そして五つ目が、２０２０年に世界中を襲った新型コロナウイルス感染症です。新型コロナウイルス感染症は周知のように、中国の武漢を発生源とし、当初は中国全土で感染爆発が起こりました。しかし中国はその後、社会主義の強みである「スピードと強制力」で、ウイルスを抑え込んでいきました。その結果、２０２０年末にＯＥＣＤ（経済協力開発機構）が発表した世界の経済見通しによれば、「コロナ世界恐慌」とも言える状況下で、「中国の一人勝ち」となっているのです。

米中新冷戦の行方が、単純にアメリカの勝利に終わると言い切れない第三の理由は、アメリカの資本主義もまた、岐路に立たされているからです。２０２０年11月の大統領選挙は、アメリカ式資本主義の弱点を、まざまざと露呈させました。アメリカは分断され、混乱し、加えて新型コロナウイルスの感染者数と死亡者数は、世界最大です。

北京に住む中国人は、私にこんなジョークを披瀝しました。

〈アメリカ大統領選挙が最後のデッドヒートを繰り広げていた頃、中国科学院の天才科学者が、タイムマシンを発明した。アメリカ情勢が気になって仕方ない習近平主席は、科学者を呼びつけて命じた。「勝つのはトランプなのかバイデンなのか、すぐに見てこい！」

数日後、その科学者が「中南海」（北京の最高幹部の職住地）に報告に現れて言った。

「習主席、実はタイムマシンの針を、1ヵ月後でなく、10年後に合わせてしまいました。そうしたら太平洋の向こう側にも、わが国と同じ社会主義国が誕生していました！」〉

このジョークが言わんとすることは、21世紀において、社会主義の中国が自由民主の資本主義国に生まれ変わるよりも、資本主義国の方が先に社会主義的になっていくだろうということです。思えばアメリカという国は、150カ国以上から渡ってきた移民たちが、「一人一票」を持って打ち建てた「実験国家」であり、「実験」は続いているのです。そしてコロナ禍で社会格差が拡大したのを機に、ベーシック・インカム（BI＝最低所得保障）を始め、資本主義国の側に、社会主義的要素を取り入れる議論が起こっているのは事実です。

日本でも、日本銀行がETF（上場投資信託）の買い入れを通じて、東証1部上場企業の2割弱に当たる約400社で事実上の大株主となっていて（2020年11月時点）、「社会主義化」が進みつつあります。

ただ、いまの中国は決定的な弱点を内包しています。それは世界中の人々が、チャイナマネーは歓迎しても、中国式の社会主義に憧憬（しょうけい）を抱かないことです。政治リスクの高い中国から離れていく多国籍企業も出てきています。中国はハード面に加えて、ソフト面でも世界の規範にならない限り、アメリカに取って代わる存在にはなれないでしょう。

本書のもう一つのテーマは、米中新冷戦下で、日本がどうやって繁栄を続けていくかということです。

先日、お会いしたある日本政府高官は、アフター・コロナの世界を嘆いて言いました。

「世界はこの先、『3極化』していくかもしれない。国民のすべてを管理する究極の全体主義国家、誰もが好き勝手なことを主張する無政府国家（アナーキー）、そして政府が無為無策で堕（お）ちるところまで堕ちていく『ゆでガエル』国家だ」

それぞれ中国、アメリカ、日本を表しています。日本人は「ゆでガエル」（ぬるま湯が徐々に熱くなってゆでられてしまうカエル）なのでしょうか。

第2章では、「現実を知る」という意味で、2020年のコロナ禍において、日本が東アジアで「一人負け」した現状を炙（あぶ）り出します。日本は「検査・隔離・追跡」というウイルス対策の鉄則を実行できなかったため、第3波まで押し寄せる羽目になってしまいました。これは、老朽化した日本の社会システムの脆弱性が露呈したとも言えます。

第3章では、これまであまり言及されていない視点ですが、日本が将来の参考にすべきは、遠くの欧米先進国よりも、近くの台湾と韓国であるという持論を展開していきます。台湾と韓国は、日本と同じ資本主義のシステムですが、日本よりも規模が小さいため、米中新冷戦下の「激震」が先に来るのです。同時に、日本よりも機敏に状況の変化に対応していくため、政治・文化・社会などのトレンドが、「日本の5年先」を行っています。そのため、日本の参考になる要素が多々あります。

第4章は、日本人にとって「古くて新しい問題」である、中国とどう付き合っていくかについて掘り下げます。現在、明治維新以降、約150年ぶりの「日中逆転」が起こっていて、21世紀を生きる日本人は、好むと好まざるとにかかわらず、この現実に対面することになります。そんな中、あくまでもファクトで日中関係を読み解きました。その核心は、日本が実効支配している尖閣諸島を死守しながら、戦略的曖昧性を発揮していくことです。

合わせて、もう一つの懸案事項である韓国・北朝鮮との関係についても言及しました。

思えば日本は、明治維新以降、これまで2度の拡張期を経てきました。昭和前期までは軍事的に拡張し、戦後の昭和後期は経済的に拡張してきたわけです。

ところが昭和から平成に代わったところで、バブル経済が崩壊し、１度目の縮小期を迎えます。そして平成から令和に代わり、アフター・コロナの時代に起こってくるのは、２度目の縮小期です。少子高齢化もあいまって、これはいかんともしがたいものがあります。

それでも、決して悲観することはありません。明治維新の前の時代、すなわち江戸時代の日本は、世界の大国ではなかったものの、３０００万人の国民が２６０年にわたって「太平の世」を謳歌（おうか）してきました。現在でも、アメリカを除けば世界の先進国は、日本より小規模な国ばかりです。ＡＩ、５Ｇ（第5世代移動通信システム）、ＩｏＴ（モノのインターネット）といった先端技術が社会の前面に出てくるアフター・コロナの時代には、「縮小する日本」であっても、十分に「幸福な日本」になれるのです。

本書が、日本の将来に想いを馳せる人々に、一服の清涼剤となれば幸いです。

近藤大介

目　次

第2章　「コロナ対応」の東アジア比較――81

第3章　韓国と台湾を見ると5年後の日本が分かる――131

で破綻した中韓蜜月／韓国外交は日本の「明日はわが身」／日本の店舗が台湾オリジナルに替わった／ホンハイのシャープ買収と日本病／台湾は携帯電話は負け組でも半導体は勝ち組／地獄を見た蔡英文総統が復権した理由／台湾人は「反中」ではなく「無関心」／蔡英文民進党の進化

第4章　日本は中国とどう付き合うか

TPP対RCEPの主導権争い／トランプとコロナが潮目を変えた／日本のニックネームは「年老いた金メダリスト」／日本に勝ったバレンタインデーの熱狂／中央集権統治を続ける中国人のDNA／中国側から見た屈辱の日清戦争／「第2次日清戦争」は不可避なのか／「ネット尖閣博物館」の出現／互いに気が合わなかった日中首脳／習近平は日本を追い越したから親日になった／コロナで訪日を延期させた日本に激昂／中国人がのけぞった「恐ろしい姓」の首相／過去に2度もスパイ扱いされた新大使／「尖閣を死守する」を第一に考える／憲法改正しないと自衛隊は尖閣防衛できない／日本式の戦略的曖昧性を構築する／表舞台に出た日台関係のキーパーソン／日韓関係が悪化した真の理由／拉致問題を解決する3つの手順

第1章　米中、七つの戦争

「素人政権」から「プロ政権」へ

２０２１年1月20日、ジョー・バイデン氏が、第46代アメリカ大統領に就任しました。78歳という史上最高齢での就任です。周知のように、ドナルド・トランプ前大統領との壮絶なバトルを経ての難産の船出でした。

太平洋の反対側に位置する最大のライバル中国も、気を新たにしてこの日を迎えました。中国の外交関係者は言います。

「バイデン政権になって、短期的には前政権ほど激しい反中政策は取らないだろう。バイデン大統領が『早急に対処する』としている4つの政策――コロナ対策、経済復興、人種差別解消、地球温暖化対策は、いずれも反中とはつながらず、むしろ中国の協力を必要とするものだからだ。

コロナ対策の第一歩であるマスクの供給には、中国製マスクが不可欠だ。経済復興には中国ビジネスを増やすことが早道だ。人種差別解消には、４００万人の在米華僑も含まれる。地球温暖化防止のためのパリ協定（２０１５年に締結するもトランプ政権が離脱）も、米中の妥結によって生まれたもので、アメリカの復帰は中国との協調路線に戻ることを意味する。バイデン外交で言えば、重要視するイラン核合意（２０１５年に締結するもトランプ政権が離脱）への復帰も、中国の協力なしには進まない。

だが中長期的に見れば、バイデン政権はトランプ政権以上に、手強い交渉相手になると覚悟している。これまで4年間のアメリカの『素人政権』が、『プロ政権』に代わるからだ。

バイデン大統領は、オバマ政権時代に副大統領を務めていた頃、習近平（しゅうきんぺい）副主席とはカウンターパートで、相互に往来して友好を深めてきた。だが互いに大国のトップに立てば、立場もまったく異なる。つまり『バイデン副大統領』と『バイデン大統領』は別人と考えている。トランプ時代と『中国叩き』の方式は変わっても、方向は変わらないだろう」

「相互に往来して友好を深めてきた」――私にとっては懐かしい響きです。バイデン副大統領が習近平副主席の招待で訪中したのが2011年8月17日から22日で、返礼として習副主席の訪米が、翌2012年2月13日から17日。どちらの時も私は北京に住んでいて、特に「初対面」の際には、両雄の交流について現地で取材したからです。

結論から言えば、「柳のような男」というのが、当時の習副主席および中国側の「バイデン評」でした。人当たりがよくて、風が吹けば東に揺れたり西に靡（なび）いたり。かつ政治家としての確固とした信念、哲学を持ち合わせていない人物と判断したのです。

習副主席にとって、バイデン副大統領を迎えた6日間は、事実上の「外交デビュー」となりました。ひときわ緊張感を持って臨み、首脳会談や公式晩餐会などを主催しましたが、特に政治的な激しいやり取りはなく、バイデン副大統領は「二人の孫に中国語を習わせている」と上機嫌だったそうです。

　バイデン副大統領は、習副主席随行のもと、1泊2日で四川省の都江堰（とこうえん）まで足を運びました。省都・成都（せいと）の郊外にある都江堰は、紀元前の戦国時代に秦（しん）国が古代水利技術の粋（すい）を集めた「川の中の堤防」を築いたことで有名で、ユネスコ世界文化遺産にも登録されています。しかしこの時は、2008年5月の四川大地震で深刻な被害を受けた一帯の復興視察が目的でした。「災害復興地を視察すればその国のレベルが分かる」というジョン・ハンツマン前駐中国アメリカ大使の進言に従ったのです。バイデン副大統領は、地元の人たちに笑顔で手を振ったり、復興の状況を質（たず）ねたりしましたが、「鋭い質問は一つもなく、物見遊山で拍子抜けした」（中国側）そうです。

　北京では、当時の最高級ホテル「セントレジス北京」（現ウェスティンホテル）の全258部屋を借り切りにして、「1泊1万ドル」と言われる最上階200㎡の「総統套房（プレジデンシャルルーム）」に泊まりました。しかしその割に、近所にある古ぼけた食堂に入って、1杯9元（約140円）の炸醤麵（ジャージャーメン）に舌鼓を打ち、「こんな旨いものはない！」と称賛しました。また、スカスカのスケジュールを埋めるため、ジョージタウン大学と山西中宇猛龍隊のバスケットボールの試合を参観しましたが、「拳を振り上げて単なる一ファンのようにアメリカチームを応援していた」(同前)。

このような経緯から、中国側は当時、「柳男は与しやすし」と結論づけました。二人は２０１２年２月と２０１３年12月にも長時間会い、友好を確かめ合っています。しかし、「副大統領と大統領は異なる」として、褌を締め直したのです。

前出の中国の外交関係者は、バイデン新政権の対中政策について、具体的に「二つのキーワード」を挙げました。

「第一に『同盟』の重視だ。トランプ大統領は『アメリカ一国主義』だったので、ＴＰＰ(環太平洋パートナーシップ協定)、パリ協定(地球温暖化対策の国際枠組み協定)、イラン核合意など、次々に国際協定から離脱してきた。これは自由貿易や国際協定を重視する中国の存在感を、相対的に高めた。

また、ＥＵ(ヨーロッパ連合)との亀裂も深め、ＮＡＴＯ(北大西洋条約機構)は半ば機能不全に陥っていた。中国が進める『一帯一路』(ワンベルト・ワンロード)は、陸上ルートも海上ルートもヨーロッパがゴール地点なので、トランプ時代の米欧分断は中国に有利に働いてきた。

ところがバイデン時代の到来とともに、米欧の再結束が図られるので、中国包囲網は強まる。アジアにおいても、オバマ政権時代に中東のアメリカ軍をアジアに振り向けた「ピボット（軸足移動）」や「リバランス（再均衡）」を進めるだろう。そしてトランプ政権末期に行った「ＱＵＡＤ（日米豪印）」による中国包囲網は引き継ぐ。

第二のキーワードは『人権』だ。民主党は伝統的に人権問題を重視するので、バイデン政権は新疆ウイグル自治区、チベット自治区、内モンゴル自治区、香港などに関して、中国を批判してくるだろう。こちらに関しても、警戒を強めている」

このように述べた後、彼はこう嘯きました。

「ただし、今度の大統領はご老体で、就任前に犬と遊んでいて足を骨折してしまった。その姿は『老いた覇権国』のアメリカを象徴するようだ。21世紀の地球上で、『アメリカ式資本主義』が生き残るか、『中国の特色ある社会主義』が生き残るか、じっくり見てみようではないか」

5中全会で「習近平超一強体制」を確立

バイデン新政権の発足を前に、中国は拱手傍観していたわけではありません。まず第一に、国内をガチガチに固めました。

中国はアメリカ大統領選直前の時期（２０２０年10月26日〜29日）に、北京の京西賓館で

「5中全会」（中国共産党第19期中央委員会第5回全体会議）という共産党中央委員会の重要会議を開きました。京西賓館は、中央軍事委員会連合参謀部が経営するホテルで、中国人民革命軍事博物館の斜（はす）向かいに位置し、「要塞（ようさい）ホテル」と呼ばれています。そこで習近平総書記の「超一強体制」を固めたのです。

共産党は１９４９年の建国以来、中国を支配している政党で、５年に一度、西暦で末尾が「２」と「７」の年に共産党大会を開きます。その間はほぼ毎年秋に全体会議を開くのです。特に「５中全会」は、アメリカ政治で言うなら中間選挙のような節目の会議です。

中央委員会というのは、全国９１９１万人（２０１９年末時点）の共産党員の中の、わずか０・０００４％（！）からなる幹部グループです。「本会員」にあたる中央委員が１９８人、「補欠会員」にあたる中央委員候補が１６６人で、計３６４人。彼らが５中全会の参加メンバーです。

ＣＣＴＶ（中国中央広播電視総台）のニュースで、５中全会の様子が流れましたが、中央委員会のメンバーたちが、習総書記の重要講話を真剣な表情でメモしています。その場面だけ見ると、中国がまるで「大きな北朝鮮」と化したかのようです。

果たして５中全会は、「習近平の習近平による習近平のための会議」となりました。最終日にあたる10月29日の晩、中国国営新華社通信が会議で採択された「公報」（コミュニケ）を公表しました。Ａ４用紙５枚の短いペーパーですが、そこには習近平体制に対する自画自賛の言葉がちりばめられ、習総書記が一番好きな言葉「社会主義」が23回も登場。「習近平」という単語も７回登場します。

５中全会で私が一番注目していたのは、習総書記の後継者がどうなるかでした。中国共産党のトップは、「２期10年」の任期を習慣としています。習総書記自身、その10年前の５中全会で、党中央軍事委員会副主席という軍ナンバー２の地位に就き、胡錦濤総書記の後継者の地位を確固たるものにしました。

ところが、党中央政治局委員（トップ25）に名を連ねる４人の後継候補（胡春華副首相、陳敏爾重慶市党委書記、李強上海市党委書記、李希広東省党委書記）は、誰も党中央政治局常務委員（トップ７）に昇格しませんでした。習総書記は９月に「中央委員会工作条例」を定めていて、常務委員でなければトップの総書記には就けません（第10条規定）。

つまり、公報が示唆しているのは、共産党の慣例を破って、今後とも末永く習近平体制が続くということだったのです。

ではいつまで習体制が続き、今後の中国をどうしていくのか？　そのことを示したのが、11月３日に発表した「第14次５ヵ年計画（２０２１年～２０２５年）および２０３５年長期目標」でした。５中全会で決議したのですが、アメリカ大統領選挙（11月３日）にぶつけて公表に踏み切ったものと思われます。

こちらは全文約２万字、Ａ４用紙15枚分に上る長文で、全60条からなります。そしてやはり、「社会主義」が37回、「習近平」が６回登場します。

中国共産党「５中全会」最終日の習近平総書記
（写真：新華社/アフロ）

そこには、中国が今後、アメリカにどう対抗していくのかというビジョンが描かれているので、少しその内容を見てみましょう。

〈**第１条**　おそらく２０２０年のＧＤＰは１００兆元を突破する。脱貧困の成果は驚くべきもので、（過去５年で）５５７５万人の農村部貧困人口の脱貧困を実現した。中華民族の偉大なる復興は、新しい大きな一歩を踏み出し、社会主義中国のより一層、雄々しくて偉大な姿は、世界の東方に屹立（きつりつ）している〉

中国の２０１９年のＧＤＰは、前年比６・１％増の99兆８８６５億元でした。２０２０年は、新型コロナウイルスの影響で第1四半期にマイナス6・8%と、改革開放以降、過去最低を記録。しかしその後は「復工復産」（仕事と生産の復活）のスローガンのもと、社会主義特有の「スピードと強制力」でもってV字回復し、第3四半期は4・9%成長まで持ち直しました。V字回復を中国語では「反敗為勝（ファンバイウェイシェン）」（敗北を勝利に変える）と言います。特に、年間延べ1億5000万人も海外へ出て「爆買い」していた中国人が、コロナ禍によって海外旅行へ行けなくなったため、国内で「爆買い」を始めたのです。このことが内需拡大に大きく寄与しました。

脱貧困に関しては、習近平政権は「2020年までに、古代から歴代のどの中国王朝も成し得なかった貧困ゼロを実現した」とアピール。2021年7月1日に迎える中国共産党創建100周年で、脱貧困を自らの政権の正統性（レジティマシー）の根拠として長期政権を敷こうという狙いです。

「世界の東方に屹立している」という言葉も、習近平総書記が好んで使う用語の一つです。つまり「中国はアジアでナンバー1の国だ」と誇っているわけです。

習近平政権が発足した2013年、内部で「3つの目標」を立てたと言います。すなわち短期目標として、2021年の共産党創建100周年（一つ目の100年）までに、あらゆる分野で日本を追い越してアジアでナンバー1の国家になる。中期目標として、203

5年までに「一帯一路」を完成し、あらゆる分野でユーラシア大陸ナンバー1の国家になる。そして長期目標として、2049年の建国100周年（二つ目の100年）までに、アメリカを抜いて世界ナンバー1の国家になるというものです。

このうち、2021年までの短期目標については、あっさりクリアしてしまったとして、「東方に屹立している」と自賛しているわけです。

米中の分断に備えた内需拡大

〈第3条　2035年までに基本的に、社会主義現代化の長期目標を実現する〉

習近平総書記は、政権3年目の2015年後半から2035年を見据えた発言を行うようになり、第19回共産党大会（2017年10月）で明確に「2035年までの目標」を打ち出しました。これは「2035年まで長期政権を敷く」という意思表示と思われます。

なぜ2035年なのか？　これも推測ですが、この年、習総書記は82歳になります。82歳は、習総書記が唯一崇拝している毛沢東主席が死去した年齢なのです。毛主席と同年齢まで続けると、自己を鼓舞しているのではないでしょうか。習総書記は時折、頤年堂（中南海にある毛主席の旧居）を散策しているとも聞きます。

〈第16条　国内の大循環を行き渡らせる。強大な国内市場により、生産・分配・流通・

消費をリンクさせ、業界の独占と地方の保護を打ち破り、国民経済に良好な循環を形成する〉

〈**第17条**　国内と国際の双循環を促進させる。国内の大循環に軸足を置き、相対的な優位さを活かし、強大な国内市場と貿易強国建設を協同して推進していく〉

中国の強みは、14億の巨大市場にありというわけです。これは近い将来のアメリカとのデカップリング（分断）を想定した措置と言えます。習総書記には「毛沢東時代は国内市場だけで生きて来られた」という自負があるのです。

それが前述のように、コロナ禍の影響で、国内で「爆買い」が起こっています。2020年11月11日にアリババ（阿里巴巴）が実施した「ダブルイレブン」の消費者デーでは、4982億元（約7・9兆円）も売り上げました。これは楽天の2年分の流通総額よりも多い額です。

こうした「世界最大の市場」をベースにして、貿易を拡大し、内需と貿易の「双循環」を起こしていくということです。11月15日には、東アジアを中心とする15ヵ国の自由貿易協定であるRCEP（アールセップ）（地域的な包括的経済連携）を締結させました。RCEPは中国のGDPが、日本を含む他の14ヵ国のGDPの総和より大きく、明らかに中国主導の自由貿易体制です。

〈**第53条、54条**　習近平強軍思想を貫徹し、新時代の軍事戦略方針を貫徹し、共産党の人民軍隊に対する絶対的な指導を堅持する。練兵と戦争準備を全面的に強化し、国家主権、安全、発展していく利益の戦略能力をさらに一層死守し、２０２７年の建軍１００周年の奮闘目標の実現を確保する〉

　習近平政権の軍事力増強は、尋常でないレベルで進んでいて、軍事予算でアメリカの3分の1、日本の4倍規模まで達しています。習近平という政治家は、26歳で清華大学を卒業し、耿飈国防相の秘書になって以降、現在まで常に軍歴を兼任してきた唯一の幹部です。現在でも軍のトップに当たる中央軍事委員会主席を兼任していて、人民解放軍の部隊を頻繁に視察しては、「軍人には戦時中と戦争準備中の二つの状態しかない！」と発破をかけています。

　そんな習指導部が5中全会で初めて打ち出したのが、「２０２７年の建軍１００周年の奮闘目標」です。これが何を意味するのかは公表していませんが、もしかしたら２０２７年までに、台湾統一を果たすということではないでしょうか。２０１８年の全国人民代表大会での国家主席の任期を取っ払った憲法改正や、半永久政権を容認するかのような5中全会の決定。こうした「掟破り」が許されるのは、「必ず自分の代で台湾統一を成し遂げる」と、共産党の長老たちに約束したからに思えてなりません。台湾統一は、毛沢東主席が後進に託した最大の事業であり、これを達成すれば習総書記は崇拝する毛主席を超えたことになるのです。

ともあれ、アメリカでバイデン政権が発足するのを前に、中国は社会主義を信奉する習近平総書記の超一強体制に、ガチガチに固めたのでした。

７分野で「米中新冷戦」が勃発

２０２１年からの「米中新冷戦」は、どのように展開していくのでしょうか。それを予測するには、「トランプ政権vs.習近平政権」のバトルを振り返っておく必要があります。

トランプ大統領は２０１７年１月に就任し、４月には自分のフロリダ州の別荘「マー・ア・ラゴ」に習近平主席を招いて、１泊２日で初の米中首脳会談を行いました。この時、トランプ大統領が習主席に、「中国がアメリカと組んで北朝鮮の核廃棄に貢献してくれるなら、南シナ海は中国の海にして構わない」とビッグディール（大きな取引）を持ちかけます。中国側は思わぬ提案に、俄然ヤル気になり、北京では「北朝鮮生贄（いけにえ）論」まで論じられるようになりました。金正恩（キムジョンウン）委員長のクビを米中協力の「生贄」にしようという考えです。

しかし、中国に北朝鮮の核ミサイル開発を食い止める力がないと分かると、トランプ大統領は手のひらを返したように、同年5月に「航行の自由作戦」を敢行します。これは、南シナ海で中国が領有権を主張している人工島などの領海12カイリに、アメリカ軍の艦艇を航行させる示威行為です。バラク・オバマ時代末期の２０１５年10月から始め、中国側を悩ませていました。

中国にとって２０１７年は、10月に第19回中国共産党大会を開いて「習近平2期目」を始動させる重要な年。そこでその翌月に、トランプ大統領を北京に招待し、内政・外交ともに安定させようとしました。

実際、この戦略は成功し、11月9日に北京の人民大会堂で開いた米中首脳会談で、計２５３５億ドル（約26兆円）分ものアメリカ製品などを中国が購入することで合意。トランプ大統領は欣喜雀躍（きんきじゃくやく）します。

しかしワシントンへ戻ると、マイク・ペンス副大統領やジェームズ・マティス国防長官、マイク・ポンペオＣＩＡ長官（後に国務長官）ら、政権内の対中強硬派の激しい巻き返しに遭いました。そこで12月18日に発表した「国家安全保障戦略」では、ロシアとともに「中国はアメリカの覇権を最も脅かす競争者であり、世界の現状に対する修正主義勢力である」と規定しました。そして翌２０１８年から、「米中新冷戦」と言われる対立の時代を迎えるのです。

以後の米中対立の構図を整理すると、以下のようになります。

①貿易戦争　2018年3月〜　追加関税他
②技術戦争　2018年4月〜　ファーウェイ、5G、NEV他
③人権戦争　2019年6月〜　香港、ウイグル他
④金融戦争　2019年8月〜　為替、デジタル通貨、証券市場他
⑤疫病戦争　2020年1月〜　新型コロナウイルス対応、ワクチン開発
⑥外交戦争　2020年7月〜　ヒューストンと成都の領事館閉鎖、留学生、研究者制限他
⑦軍事戦争　？？？　台湾、南シナ海、東シナ海

まさに全面的な「米中新冷戦」の局面に突入していることが見て取れると思います。以下、主に中国側から見た「米中新冷戦」について述べます。

米中貿易戦争は「横綱対関脇」

中国にとって、第一段階の貿易戦争は、まさに青天の霹靂（へきれき）のように降って来ました。2018年3月20日、北京で全国人民代表大会（国会）が閉幕します。習近平主席が、憲法

を改正して自己の国家主席の任期を撤廃。意のままに省庁改編を行い、引退していた盟友の王岐山前常務委員を国家副主席に就けるなど、「習近平一強体制」を完成させた大会でした。「習近平皇帝」はもはや国内に、何も恐れるものはなくなったのです。

ところが、この大会を終えたわずか2日後の3月22日に、太平洋の向こう側から「鉄拳」が飛んできました。トランプ大統領が「中国製品に追加報復関税をかける」と嚙みついてきたのです。この日が「米中新冷戦」の「宣戦布告」となりました。

この時、中国側にはアメリカに対して、強硬策で臨むか宥和策で臨むかという二つの選択肢がありました。ごく単純化して言えば、前者は国粋主義的な「習近平グループ」が主張し、後者は国際主義的な「李克強（首相）グループ」が主張していました。

当時の「中南海」は、「習近平一強体制」が完成したばかりです。李克強首相は全国人民代表大会で、2期目5年の首相職留任を決めるのに精一杯。「もうアメリカの言いなりになる時代は終わった」という強硬派の意見が支配的でした。そこで、「奉陪到底」（最後まで付き合ってやろうではないか）という、一説には習主席が御前会議で述べたというセリフをスローガンにして、徹底抗戦を決めたのです。

貿易戦争が実際に「開戦」したのは同年7月6日で、第1弾として互いに３４０億ドル分の輸入品に追加関税をかけ合いました。8月23日に第2弾として互いに１６０億ドル分、9月24日に第3弾としてアメリカが2000億ドル分、中国が600億ドル分の追加関税をかけ、貿易戦争はエスカレートしていきます。

このチキンレースで息切れしたのは、中国のほうでした。中国はいくら世界第2位の経済大国とは言え、規模はアメリカの3分の2程度です。相撲にたとえるなら横綱対関脇クラスの取組のようなもので、がっぷり四つに組めば横綱が有利に決まっているのです。

アメリカとの貿易戦争によって、中国の輸出産業は大打撃を受け、外国資本と外資系企業も中国から撤退や縮小を始めました。こうして中国経済が急速に悪化していったことで、「習近平グループ」に対する批判の声が高まっていきます。

ちなみに、世界経済のナンバー1とナンバー2が貿易戦争を起こしたのですから、ナンバー3である日本の仲裁に世界は期待しましたが、安倍晋三首相（当時）は同年10月に北京を訪問したものの、米中対立にはほとんど無策でした。

結局、同年12月1日にブエノスアイレスG20の場で、習近平主席がトランプ大統領と1年1ヵ月ぶりの首脳会談を行い、「詫び」を入れる格好になりました。

ファーウェイ包囲網を開始

この派手な貿易戦争の陰に隠れて、第2段階の米中技術戦争も勃発していました。

２０１８年４月16日、アメリカ商務省が、ファーウェイ（華為技術）に次ぐ中国第２位（世界４位）の通信機器メーカーＺＴＥ（中興通訊）に対して７年間、アメリカ企業との取引を禁じたのです。アメリカが禁止しているイランや北朝鮮との不正取引を同社が行ったというのが理由でした。

ＺＴＥはファーウェイと同様、香港に隣接した広東省深圳（しんせん）に本社を置く、深圳市政府が経営する国有企業で、ファーウェイの長年のライバルです。携帯電話などで部品の３割をアメリカに頼っていたため、たちまちノックアウト状態となりました。

結局、６月13日に罰金10億ドル、預託金４億ドル、経営陣刷新、10年間の監視対象という「４点セット」を受け入れて、制裁は解除されました。

私はこの件を追っていて、不可解なものを感じました。それは、アメリカはこれほど派手な技術戦争を中国企業に仕掛けておいて、なぜ２ヵ月で拳を下ろしたのかということです。

当時、もっともらしく報道されたのは、「ＺＴＥを叩けば取引先のアメリカ企業にも損害が出るため」ということでした。しかし、ＺＴＥは香港市場に上場しているので、同社のアメリカ側の取引先は、財務諸表を見れば一目瞭然です。私がようやく納得がいったのは、ある関係者からこんな証言を得た時でした。

「ZTEが許されたのは、密かにアメリカ商務省との司法取引に応じたからだ。アメリカ側が欲しかったのは、イランとの不正取引などに関するファーウェイの内部情報だった。ファーウェイは売上でZTEの7倍もの規模を誇る上、5G(第5世代移動通信システム)で完全に世界をリードしている。アメリカとしては、いまファーウェイを叩かないと、次世代の技術覇権を中国に乗っ取られてしまうと危惧したのだ。実際、ZTEは、アメリカ側が欲しかったファーウェイの内部情報を提供したため、短期間で許されたようだ」

この証言を裏付けるかのように、同年8月13日、アメリカが国防権限法を成立させます。一年後に「中国の指定5社」をアメリカ公的機関の調達から排除し、2年後に「中国の指定5社」と取引がある企業も、アメリカ公的機関の調達から排除するというのです。

「中国の指定5社」とは、世界最大の通信機器メーカーであるファーウェイ、同4位のZTE、世界最大の無線メーカーであるハイテラ(海能達)、世界最大の防犯カメラメーカーであるハイクビジョン(杭州海康威視数字技術)、同2位のダーファ(浙江大華技術)です。

この法律には、多くの日本企業も頭を抱えてしまいました。例えば、5社の中でも最大の標的であるファーウェイは、同年10月に「92社リスト」と呼ばれる主要取引企業を発表しましたが、その中に日本の大手メーカーが11社も入っています。これらの企業はアメリカとも取引があるため、「米中のどちらを取るか」という苦悩に陥ったのです。

トランプ政権は、さらに「奥の手」を用意していました。それは12月1日に、ブエノスアイレスG20の場での商談を終えて、深圳の本社に戻るファーウェイの孟晩舟(もうばんしゅう)副会長（CFO）を、経由地のバンクーバーで逮捕してしまったことです。孟副会長は、ファーウェイの創業者・任正非(じんせいひ)CEOの長女です。

前述した習近平主席がトランプ大統領に「詫び」を入れた数時間後に、アメリカがさらなる痛打を浴びせたことで、習主席の面目は丸潰れとなりました。

「ハイテクのカーテン」を引いたアメリカ

2019年に入ると、トランプ大統領が何としても妥結させたかったのが、中国との貿易戦争でした。この終息の仕方について、アメリカには二つの選択肢がありました。

一つは、前年末に習近平主席が「詫び」を入れてきたのだから、中国側の一定の譲歩をもって交渉を妥結するというもの。もう一つは、アメリカが押せば中国は引くことが証明されたため、一層強硬に出て中国からさらなる妥協を引き出すという欲深い戦術です。

トランプ政権には、トランプ大統領を筆頭とする中国との通商交渉を重視する「通商強硬派」の他に、ペンス副大統領やポンペオ国務長官らの「軍事強硬派」（理念強硬派）がいました。「中国共産党政権は自由と民主を拒否する『21世紀のソ連』と言える絶対悪なので、軍事力をもってでも粉砕しないといけない」と考える人々です。この「軍事強硬派」の面々には、中国との妥協など頭にありません。

結局、カジノの経営者でもあるトランプ大統領は、「さらに大きくベットする（賭ける）」決断をしました。すなわち、中国に対してますます強硬に出たのです。

この強硬策は裏目に出ました。皮肉なことに、それによって中国側でも強硬派の習近平グループが、再び台頭してきたからです。いわば寝た子を起こしてしまった格好です。

米中は同年5月9日、10日にワシントンで行われた第11回米中閣僚級貿易協議で、完全決裂しました。いわゆる「ノー・ディール」です。その翌月に、私は中国で関係者と会いましたが、トランプ政権に対して非難囂々（ごうごう）でした。

「アメリカは、今後アメリカだけが中国に追加関税を課すことができるようにすると言ってきた。しかも、中国側がそれを呑んだとしても、最初の500億ドル分の追加関税は留保するという。さらに、中国政府の産業振興政策と中国企業の先端技術取得にも制限をかけるという。こんなものを呑んでいたら、半植民地状態と化したあげく滅んだ前世紀の清王朝の二の舞ではないか」

彼の話を聞いていると、アメリカの主張は、中国の産業がある程度、発展していくのは構わないが、それはアメリカが定めた枠内でということです。

トランプ政権は少しやり過ぎたのではないかと思いました。社会主義政権を相手にこうしたやり方を取れば、北朝鮮も同様ですが、「窮鼠猫を嚙む」に決まっています。実際、一年ぶりに「奉陪到底」という凄みのある言葉が、中国で復活しました。

しかしトランプ政権は、さらに追い打ちをかける中国叩きに出ました。それは5月15日に、ファーウェイをアメリカ商務省の「エンティティ・リスト」（制裁企業リスト）に加えたことです。この措置をアメリカのメディアは、1946年3月にウィンストン・チャーチル英元首相が行った東西冷戦を告げる「鉄のカーテン」の演説になぞらえて、「ハイテクのカーテン」と呼びました。米中のデカップリング（分断）が決定的になったという意味です。

確かに、それほど強烈な措置でした。ファーウェイは事実上、アメリカ企業から部品を調達することができなくなってしまったのです。3ヵ月の猶予期間の後、ファーウェイのスマホでは、グーグル検索やGメール、グーグルマップ、ユーチューブなどを搭載できなくなりました。これによって日本のスマホ市場でも、ファーウェイに逆風が吹き始めます。

私はこの事件の直後に、広東省深圳のファーウェイ本社および東莞の研究本部を取材しました。その時のことは拙著『ファーウェイと米中5G戦争』（講談社＋α新書）に詳述しましたが、日本人も含めて、西側諸国はファーウェイという会社に誤解、偏見を抱いている印象を持ちました。ファーウェイは一言で言えば、中国共産党から最も遠くにある中国企業だからです。

ファーウェイは2019年の売り上げが、世界170ヵ国あまりで8588億元（約13兆6550億円）、純利益が627億元（約1兆円）という中国最大の民営企業です。しかし、これは共産党の助成によるものではなく、苦難の歴史の上に築かれたものなのです。

1987年に5人の仲間と深圳で創業した任正非CEOが、元人民解放軍のエンジニアだったことから、共産党や人民解放軍がバックにいる会社と思われがちですが、任氏は人民解放軍をリストラされて深圳にやって来たのです。また、古巣の人民解放軍や国有企業が相手にしてくれなかったから、海外に活路を見出したわけです。ソ連崩壊後の混乱のロシアに進出したのを皮切りに、リスクの高い発展途上国で通信システム事業を請け負って成長していきました。

習近平主席と任正非CEOが親しい友人だと書き立てた日本メディアもありましたが、それも誤報です。習主席は2012年11月に共産党総書記になって以降、3回も深圳を視察していますが、「深圳の象徴」とも言えるファーウェイ本社を一度も訪れていません。本当に親しいのなら、深圳の本社にも東莞の研究本部にも、当然足を運んでいるはずです。

また、習近平政権は改革開放政策40周年を記念して、2018年末に「改革開放に貢献した100人」を選出しました。その時、アリババの創業者・馬雲（ジャック・マー）会長やテンセントの創業者・馬化騰(ばかとう)CEOらが表彰されましたが、誰よりも貢献したファーウェイの任正非CEOは受賞を固辞しているのです。ファーウェイが中国共産党に近い会社ならば、「習近平政権の名誉」を辞退するはずがありません。任CEOは習近平的な偶像崇拝を最も嫌い、任CEOを知らない平社員と社員食堂で隣り合って、談笑しているような人なのです。

ファーウェイの本社を視察すると分かりますが、まるでグーグルの本社にいるかのような自由闊達な社風の会社です。19万人の中国内外のエリートたちが「21世紀の人類と技術はどのような関係を築くべきか」などと談論風発しています。私はこれまで多くの中国企業を視察してきましたが、こんな「知のキャンパス」のような会社はファーウェイだけです。

ファーウェイの幹部たちは、こう述べていました。

「5Gでも6Gでも、わが社が完全に世界の先駆者となってしまったため、アメリカは何としても潰したいのだ。ファーウェイが何か不法行為を行ったから咎めているのではなくて、ファーウェイを潰さないとアメリカの技術覇権が続かないから潰しにかかっているのだ」

私もそう思います。加えて皮肉なことですが、アメリカがファーウェイを本気で潰しにかかってから、ファーウェイと中国共産党との「距離」が、にわかに縮まっていきました。ファーウェイはもともと、中国国内と海外での売り上げが半々でした。それが「エンティティ・リスト」入りを契機として、中国国内での５Ｇ基地局やスマートフォン販売などに尽力するようになったのです。

ただ、アメリカの懸念が理解できないわけでもありません。ファーウェイを訪れて分かりましたが、彼らがいま研究しているのは６Ｇや７Ｇの世界です。６Ｇでは現在のスマホ機能がメガネに搭載され、７Ｇでは脳にチップを組み込むのだそうです。習近平政権は「軍民融合」を唱えていて、そのようなファーウェイの世界最先端の技術を軍事利用したいに決まっています。

そうしたことを勘案すると、米中技術戦争によって、アメリカのＩＴ４強の「ＧＡＦＡ（ガーファ）」（グーグル、アップル、フェイスブック、アマゾン）と、中国のＩＴ４強の「ＢＡＴＨ（バース）」（バイドゥ、アリババ、テンセント、ファーウェイ）との間で、「ハイテクのカーテン」が引かれるのも止むを得ないことなのかもしれません。今後、日本を含む世界の企業が「ＧＡＦＡにつくか、ＢＡＴＨにつくか」という二者択一を迫られるようになれば、サプライチェーンも分断されます。中国はそれを阻止しようと、２０２０年11月にＲＣＥＰを締結し、同時期にＴＰＰ（環太平洋パートナーシップ協定）への参加も表明したわけです。

香港のデモはアメリカの陰謀と考える中国

２０１９年には、第3段階の人権戦争と第4段階の金融戦争も、米中間で勃発しました。人権戦争の最大の「衝突現場」は香港でした。同年6月9日、「一国二制度」を敷く香港で、逃亡犯条例の改正に反対して、１００万人デモが起こりました。

「一国二制度」というのは、１９９７年にイギリスが香港を返還した際、中国に約束させた「イギリス式の資本主義制度を50年変えない」ということで、香港基本法第5条で定めています。中国は社会主義の国なので、同じ中国という「一国」の中に「二つの制度」が共存しているのです。

逃亡犯条例の改正というのは、中国が犯罪者とみなした人物が香港にいる場合、その人物を中国大陸に引き渡せるようにするものです。香港市民からすれば、この法律ができれば、中国政府の意に背く市民は、まるで誘拐されるように中国大陸に連行されるとして反発したのです。

１００万人デモは、中国に返還されて22年で最大規模でした。香港の人口は７５０万人なので、7人に一人くらいが参加したことになります。香港で相当、習近平政権に対する反感がくすぶっていることが察せられます。

さらに同月16日、デモ隊は２００万人に膨れ上がり、「5大要求」を掲げるようになりました。「5大要求」とは、逃亡犯条例改正案の完全撤回、デモを「暴動」とする香港政府見解の取り消し、警察の暴力に対する独立調査委員会の設置、拘束者・逮捕者の即時釈放、行政長官と立法会の普通選挙実施です。

8月末には、『香港に栄光あれ』という「独立を果たした際の国歌」まで、デモの中で歌われるようになります。そして同年11月24日に行われた香港区議会議員選挙（地方議会選挙）では、民主派が489議席、建制派（親中派）が60議席と、民主派が圧勝したのです。

私はこの香港の反中感情の高まりを二度にわたって取材に行きましたが、「一国二制度」が習近平政権でなし崩し的になってきたことに対して、香港市民が怒りの声を上げたものと捉えていました。特に若者たちは、自分が中高年になった時、香港が中国式の社会主義に変わってしまうという恐怖感を抱いているのです。

ところが北京の習近平政権は、もう少し別の視点で見ていました。それは、アメリカが香港を攪乱（かくらん）させるために背後で糸を引いているという「アメリカ陰謀論」です。とりわけ習近平政権が香港を活用して行おうとしている二つの戦略を阻止するために、アメリカが「人権問題」にすり替えて妨害していると捉えているのです。

二つの戦略のうち一つは、「グレーター・ベイエリア（粤港澳（ユエガンアオ）大湾区）構想」です。これは、香港返還20周年記念式典（2017年7月1日）に参加するため香港を訪問した習近平主席が発表した、広東省・香港・マカオの一体化構想です。広東省の強みである製造業、香港の強みである金融業、マカオの強みであるレジャー産業（カジノ）と資金力を一体化させて、中国南部に巨大な経済圏を作ろうというものです。

実際、2018年9月には、広東省と香港を結ぶ高速鉄道を開通させ、翌月には香港―マカオ―広東省珠海を結ぶ世界最長55㎞の海上橋を開通させました。私は2019年12月に、香港から8時間56分かけて高速鉄道で北京まで行きましたが、快適な旅でした。

実はこの「グレーター・ベイエリア」には、隠れた構想があります。その一つは、香港証券取引所と深圳証券取引所の一体化です。

2020年10月時点で217社の中国企業が、ニューヨーク証券取引所とナスダック市場に上場していますが、アメリカ連邦議会では、中国企業の会計を厳格化して、アメリカ市場から追放しようという動きが起こっています。アメリカ証券市場で、中国企業のバックに控える中国共産党や人民解放軍の資金源を作ってしまっているという警戒感があるからです。

中国としては、もしも近未来に中国企業がアメリカ市場から追放された場合、香港市場を「受け皿」にしようとしています。そして将来的に、香港市場と深圳市場の一体化を見据えています。そこでアメリカは、「受け皿」を先に潰してしまおうとして、デモを煽っているわけです。

そのため中国は、アメリカが香港に手出しできないように２０２０年6月30日、香港国家安全維持法を施行しました。その第29条では「外国勢力からの支援を得た者に対して、最高で無期懲役刑に処す」と定めています。「英米の香港」ではなく、「中国の香港」であることを明確にしたのです。12月10日にはアメリカ外交官のビザなし渡航を禁止しました。この先、香港を巡る米中の対立が尖鋭化していけば、中国は隣のマカオに進出しているアメリカのカジノ企業を追放するでしょう。

中国が香港を活用して行おうとしているもう一つの戦略は、台湾統一です。中国は１９９７年に香港返還を果たした時から、将来の台湾統一のための橋頭堡を築いたという認識でした。習近平政権になって、台湾統一が「いつの日か夢見ていること」から「まもなく行うこと」に変わり、香港の橋頭堡としての役割は増しました。それで中国は、アメリカが香港を混乱させて、台湾統一阻止を目論んでいると見ているのです。

私はこの「アメリカ陰謀論」には与しませんが、トランプ政権は２０１９年11月27日、香港人権・民主主義法を成立させました。これは、１９９７年に発効させた香港政策法（香港を中国大陸とは別個に扱う法律）に基づき、香港の自由・民主・人権が守られているかを毎年チェックし、国務長官と連邦議会に報告する法律です。２０２０年7月14日には香港自治法を成立させ、10月14日に林鄭月娥(りんていげつが)行政長官をはじめとする10人を「香港の自治侵害に関与した人物」に特定しました。

ザッカーバーグCEOの予言

香港問題とも関係してくる話ですが、金融分野を巡っても、2019年夏に、米中対立が勃発しました。前述の第4段階にあたります。

同年8月5日、トランプ政権が中国を「為替操作国」に指定しました。同年5月下旬に、アメリカ財務省は「中国は為替操作国ではない」と認定したばかりで、6月29日には大阪G20サミットで、トランプ大統領と習近平主席との米中首脳会談も開かれ、両首脳は握手を交わしました。そのため「為替操作国」の発表は中国にとって、まさに寝耳に水だったのです。

1994年にビル・クリントン政権が一度、中国を為替操作国に指定して以降、四半世紀にわたって為替操作国に指定された国・地域はありませんでした。たちまちマーケットに動揺が広がり、11年3ヵ月ぶりに1ドル＝7人民元を突破する元安ドル高局面になります。

客観的に見て、中国の為替操作国指定は、無理筋というものでした。アメリカ財務省の為替操作国の定義は、①対米黒字が年間200億ドル以上、②経常黒字がGDPの2％以上、③為替介入による外貨購入が年間6ヵ月以上かつGDPの2％以上、という3条件を満たした国・地域ですが、中国が引っかかるのは①だけだからです。実際、それから5ヵ月後、米中貿易交渉の第1段階の合意がなされた2020年1月13日に、アメリカ側は指定を解除しました。

それでは、アメリカはなぜあえて強引な手段に出たのでしょう？　為替操作国の指定から2ヵ月余り経った10月23日、そのヒントになるような出来事が起こりました。

この日、フェイスブックの創業者であるマーク・ザッカーバーグCEOが、連邦議会下院金融サービス委員会の公聴会に出席を命じられ、6時間余りにわたって質問攻めに遭いました。フェイスブックが同年6月18日に発表し、世界的に話題を呼んでいた仮想通貨「リブラ」（Libra）についてです。

結局、フェイスブックは「リブラ計画」の延期を余儀なくされます。その時、反対派の議員たちを前に、ザッカーバーグCEOは悔しさを滲（にじ）ませた様子で、こう言い放ちました。

「中国は、今後数ヵ月で、われわれと同様の考えを立ち上げる。われわれは座視しているだけではダメだ。リブラは、主にドルに裏付けられており、私はこのことがアメリカの金融リーダーとしての地位を拡張し、世界の民主的な価値につながると信じている。アメリカがいまイノベーションを起こさなければ、もはやアメリカの金融リーダーとしての地位は保証されなくなる」

「3つのカ」（カネ・カミ・カギ）をなくす

このザッカーバーグCEOの「予言」は、2020年に入って的中していきます。中国は主に6つの目的で、デジタル人民元の導入を急ピッチで進めたのです。

第一に、「ドルvs.人民元」の戦いにおいて「土俵を変える」ことです。

21世紀に入って、中国はあらゆる分野で、世界最強国のアメリカに追いつけ追い越せと奮闘してきました。現在、経済規模では3分の2まで来ています。軍事分野でも、軍事費では3分の1まで来ており、東アジア地域に限れば対等に近い能力に達しています。

ところが「ドルvs.人民元」の金融分野においては、依然として圧倒的に差が開いたままなのです。SWIFT（国際銀行間通信協会）の発表によれば、2018年5月時点での世界の決済通貨シェアは、ドルの39・4％に対し、人民元は1・88％。日本においても、2019年の貿易相手国は、中国対アメリカが21・3％対15・4％にもかかわらず、ドルと人民元の2020年上半期の貿易取引通貨別比率は、輸出で49・4％対1・6％、輸入で67・6％対1・1％（財務省発表資料）。つまり世界も日本も圧倒的にドル決済なのです。

中国は、2008年のリーマン・ショック以降、人民元の国際化を国策として進めてきましたが、どうしてもドルの牙城を崩せません。そこで、「通貨そのもの」を変えてしまおうとしたわけです。

「土俵を変える」という手法は、中国の常套手段です。自動車産業においては、いつまでたってもガソリン車で日米欧に追いつけないため、「環境対策として2035年以降、中国国内のガソリン車（ハイブリッド車を除く）の生産を禁止する」と発表しました。中国が得意とする電気自動車を、世界の自動車産業の主流に変えようという狙いです。国際金融の分野でも、いつまでたってもWB（世界銀行）やADB（アジア開発銀行）の牙城を崩せないため、2016年年初にAIIB（アジアインフラ投資銀行）を創設しました。

第二に、機先を制することです。後発国の中国は、これまで多くの分野で先進国に追いつき追い越す立場にありました。その際、「先進国が敷いたプラットフォームとルールの上で勝負する」ことが求められるので、そもそも不利です。そこでデジタル人民元をいち早く導入し、デジタル通貨のプラットフォームとルールを設定してしまおうというわけです。その上で、習近平政権の外交政策である「一帯一路」に乗せて、世界に浸透させていこうとしているのです。

第三に、中国国内の利便性を図ることです。私は日本語で「3つのカ」（カネ・カミ・カギ）をなくす運動と呼んでいますが、中国国内の利便化は急速に進んでいます。まずカネに関しては、いまや中国国内で人民元の現金を持ち歩いている人はほぼ皆無です。14億の中国人は、ほとんどの日常生活をスマホ決済で済ませているからです。

同様に、カミに関して紙面による取引や手続き、紙媒体（新聞・雑誌）なども、急速に電子化しつつあります。そしてカギに関しては、家のドアを開けたり、車や自転車を開けたりするカギが、指紋認証や顔認証、QRコードなどに急速に移行しつつあります。

そんな中で、この「3つのカ」をすべてなくす可能性を含んでいるのが、デジタル人民元なのです。

第四に、金融面での不正をなくすということです。中国では11世紀の宋代に、世界で初めて「交子（ジアオズ）」と呼ばれる紙幣を発行しましたが、以後１０００年にわたってニセ札に悩まされ続けました。

ところがデジタル人民元に移行すれば、ニセ札問題は解決します。もちろん、金融ハッカーやサイバーテロなどの新たな問題は発生しますが、セキュリティの技術も日々向上しています。不正をなくすという面では、脱税も限りなくゼロに近づきます。金銭の授受が隠せなくなるからです。

第五は、そのこととも関係しますが、14億国民の生活を管理するという面です。デジタル人民元を導入すれば、誰がいつどこで何を買ったかという個人の家計と、すべての売買に関する法人の会計を、国家が把握することができます。デジタル人民元は、社会全般の監視システムを構築しようとしている社会主義国家との親和性が抜群なのです。

第六に、2021年7月1日に控えた中国共産党創建100周年で、共産党政権が、世界初のデジタル通貨を導入した先進的な政党であるとアピールすることです。「習近平政権の偉業」を国民に見せつけようということです。

デジタル人民元とブロックチェーン

私がデジタル人民元に着目しだしたのは、2018年1月に深圳を訪れた時でした。現地の銀行幹部と会食中に、こんな話を聞いたのです。

「昨年（2017年）1月、『央行（ヤンハン）』（中国人民銀行）がここにデジタル通貨研究所を設立した。5年以内にデジタル通貨の運用開始を目指している」

その後、分かったのは、中国人民銀行では、すでに2014年の時点で、内部に「デジタル通貨研究小グループ」を立ち上げていたことでした。

これは、多分に中国国内の事情によるものだったと聞きました。すなわち、アリババの「アリペイ」（支付宝）とテンセントの「ウィーチャットペイ」（微信支付）が急速に発展してきたため、早く中央銀行が本腰を入れなければ、未来のデジタル通貨は民営企業主導で進んでしまうと危機感を抱いたのです。

「習近平新時代の中国の特色ある社会主義」の屋台骨は、あくまでも国家とそれに付随した国有企業であって、民営企業ではありません。民営企業の発展も歓迎していますが、それは共産党政権の統制下においてです。

2016年5月、この研究小グループは、金融科学技術委員会に格上げされました。そして翌2017年1月、深圳にデジタル通貨研究所を設立します。

2018年8月、人民日報出版社が『ブロックチェーン　リーダー幹部読本』という本を出版しました。202ページからなるこの本は、いわば中国の幹部たちが読むべきブロックチェーンの教科書です。この本を読むと、ブロックチェーンを使ったデジタル人民元を、中国が本気で考えていることが分かります。序文には、こう書かれています。

〈ブロックチェーンの技術は、「中本聡」(Satoshi Nakamoto)という仮名の学者が、2008年に発表した基礎となる論文『ビットコイン：一種の点と点の電子通貨システム』を起源とする。近未来に、ブロックチェーン技術の不断の成熟に伴い、その応用は、多方面の価値をもたらすだろう〉

この本によると、中国のブロックチェーン戦略は、デジタル人民元、サプライチェーン金融、支払い決済、証券、保険、信用調査の6分野に応用できるとしています。そして、いかに欧米が主導するSWIFTのように、デジタル人民元を国際的に浸透させていくかが課題だとしています。ライバルはベルギーに本部を置くSWIFTというわけです。

2018年9月4日、中国人民銀行が深圳で、貿易金融ブロックチェーン・プラットフォームを開設。2019年1月10日には、国家インターネット情報弁公室が「ブロックチェーン情報サービス管理規定」を発布し、2月15日に施行しました。全24条からなるこの規定を読むと、中国政府は、ブロックチェーンを使ったシステムを早急に中国全土に浸透させようとしていることが分かります。

同年3月6日に深圳の金融学会が発表した報告書『グレーター・ベイエリア金融融合発展研究』によれば、近い将来、グレーター・ベイエリアの金融監督管理規則とスタンダードを統一させていくことが盛り込まれています。そして同年11月6日には、中国人民銀行デジタル通貨研究所傘下の深圳金融科学技術研究院と香港金融管理局傘下の香港貿易連動プラットフォームが、提携の覚書を交わしました。つまり将来的に、アジアの金融センターである香港を巻き込んで、デジタル人民元を浸透させていくということです。

同年10月24日には、中国共産党中央政治局の第18回集団学習が、「中南海」で行われました。集団学習というのは、中央政治局の25人の委員が中南海の懐仁堂(かいじんどう)に会して、その時々に必要なテーマについて専門家の話を聞く集会です。江沢民（こうたくみん）政権末期の２００２年に始まりましたが、習近平政権になって開催頻度が増しています。

18回目のこの日は、浙江（せっこう）大学教授で中国工程院の院士である陳純（ちんじゅん）博士が、ブロックチェーンについて講義し、習近平主席がブロックチェーンの重要性について講話を述べました。その翌々日には「暗証番号法」を制定し、２０２０年1月1日より施行。この法律は全44条からなり、暗証番号の厳格な管理と罰則を定めています。

しかし、中国のデジタル人民元構想は、この集団学習によって、一度挫折を強いられます。２０２０年年初に、北京で会った大手ＩＴ企業関係者は、次のように語りました。

「デジタル人民元は、ブロックチェーン技術を使って作ろうとしている。ところがブロックチェーンというのは、分散型ネットワークの技術だから、党中央（習近平総書記）の絶対的な支配が利かないことが、10月の集団学習で判明した。それで、『央行はシステムを考え直せ』ということになったのだ。

わが社は、中国政府とは、あくまでも別個に動いてきた。央行はアメリカとの対立が今後、さらに深まっていけば、中国の銀行はＳＷＩＦＴのシステムから締め出されてしまうと危惧して、ブロックチェーン研究を本格化させたのだ。それならばその前に、自分たちで新しいシステムを構築してしまおうということだ。

それに対してわが社は、『ABCD技術』(AI、ブロックチェーン、クラウド、データ)を研究開発の4大柱にして、研究を進めてきた。『電子銭包』(デジタル財布)というシステムは、すでに中国の他にも、タイ、マレーシア、インドで始めている。近くサウジとドバイでも始めるし、今後はアメリカを除く世界中に広げていきたいと考えている」

ついに登場したデジタル人民元

党中央からダメ出しを喰らった中国人民銀行は、2020年に入って巻き返しに出ます。4月、習近平主席肝煎り(きもい)の北京の100km南に位置する「第二首都」雄安(ゆうあん)(河北省)で、デジタル人民元の試行を行いました。現地のマクドナルド、スターバックス、京東無人(ジンドン)スーパーなど19ヵ所の店舗で、実際にデジタル人民元を試してみたのです。

5月には蘇州(江蘇省)の相城区で、デジタル人民元を使って交通費の5割を補塡(ほてん)するという試行を行いました。いずれも成功したため、8月に試行地域を28ヵ所に増やすことを決めました。

10月14日、深圳で「経済特区建立40周年慶祝大会」が開かれました。訪れた習近平主席が、「アジアのシリコンバレー」深圳に似合わない「社会主義」を、25回も連呼する演説を行いました。

それでも部下たちは、習主席に花を持たせるため、「デジタル人民元実用開始」という世界的な話題となるイベントを用意したのです。同日、新華社通信は、「1000万デジタル人民元の実験開始　深圳のただの小さな一歩ではない　噂のデジタル人民元が今回本当に深圳にお目見えした！」と題した長文の記事を発表しました。その要点は以下の通りです。

- 10月12日18時から18日24時まで使用可能な総額1000万元（約1億5900万円）のデジタル人民元を発行した。深圳市羅湖区の3389ヵ所の店舗で期間内に消費できる。
- 資金は深圳市羅湖区が拠出し、中国人民銀行が兌換する。
- 中国人民銀行深圳市センター支店と中国工商銀行、中国農業銀行、中国銀行、中国建設銀行の深圳支店が協力して業務を展開した。
- 「.i深圳」のアプリから、191万3847人の深圳市民が抽選に参加し、その中から5万人が当選。デジタル通帳が作られ、200元（約3200円）が入金された。

実際にデジタル人民元を使用した深圳市民が、日本のメディアにも紹介され、大きな話題を呼んだのは、まだ記憶に新しいところです。

このデジタル人民元の試験運用に合わせて、深圳では二つの公文書が発布されています。一つは、10月11日に中国共産党中央弁公庁と国務院弁公庁が発布した「深圳に建設する中国の特色ある社会主義の先行示範区の総合改革トライアル実施方案（2020-2025年）」。この方案は全27項目にわたって、今後5年の深圳発展の概略図が示されていて、第6項ではこう謳っています。

〈深圳の中国人民銀行デジタル通貨研究所傘下の機構をベースにして、金融科学技術の新たなプラットフォームを立ち上げる。デジタル人民元の内部での閉ざされたトライアル試験の展開を支持し、デジタル人民元の研究開発の国際提携への応用を推進させていく〉

このようにデジタル人民元は、はっきりと海外を見据えているのです。まさに「一帯一路」に乗せて、世界中に浸透させていこうというわけです。また、第8項にはこうあります。

〈グレーター・ベイエリアでのデジタルプラットフォーム建設を支持し、デジタル交易市場もしくは現有の交易場所にデジタル交易を展開していくことの研究論証を行っていく〉

つまり前述のように、深圳でデジタル人民元をある程度、試行したら、それを香港とマカオにも広げていくつもりなのです。

政治の民主制度では香港が先駆者ですが、デジタル通貨なら深圳が先駆者です。そのため、深圳が司令塔となった広東省・香港・マカオのデジタル通貨システムを見据えているのです。そのうち香港ドルとマカオ・パタカも、スマホの中に吸収されていくのかもしれません。

デジタル人民元は、単に紙幣をデジタルに変えるというだけではなく、習近平政権の中国内外における野望を秘めています。

まず中国国内においては、アリペイとウィーチャットペイという2大民営企業（アリババとテンセント）に支配されたキャッシュレス決済を、中国人民銀行主導に変えていくことです。もしかしたら近い将来、アリペイとウィーチャットペイが中国人民銀行傘下に置かれるか、国有化されるような事態が起こるかもしれません。

実際、2020年11月3日には、アリババ子会社で世界最大のユニコーン（企業価値10億ドル以上の未上場企業）であるアント・ファイナンシャル（螞蟻集団）が、翌々日に控えた香港と上海市場におけるIPO（新規株式公開）を、中国当局によってストップさせられるという事件が起こりました。これによって、370億ドル（約3兆8500億円）という史上最大規模の資金調達が吹っ飛びます。

実は2015年夏にも、「中国人民銀行vs.アリババ」の闘争がありましたが、再び中国当局とアリババがバトルを繰り広げたのです。米ウォールストリートジャーナル紙（11月

12日付）は、「習近平主席が上場延期を命じた」と報じました。

今後デジタル人民元は、まずは「中国経済圏」と言えるＡＳＥＡＮ（東南アジア諸国連合）に影響を与えていくでしょう。ＡＳＥＡＮにとって中国は、２００９年以降、最大の貿易相手であり、中国にとっても２０２０年上半期、ついにＥＵを抜いてＡＳＥＡＮが最大の貿易相手となったからです。しかし日本も、２０２０年上半期の全貿易の22・８％が対中貿易であり、中国は最大の貿易相手国です。リスク回避という観点から大半の日中貿易はドル決済ですが、リスクが回避できて便利ならば「デジタル人民元決済」に取って代わる可能性があるからです。いずれ、幕末のペリー来航の「黒船襲来」に続く「紅船襲来」となるかもしれません。

米中は長期的かつ全面的な対立となる

２０１９年11月20日から22日まで、北京ＡＰＥＣ（２０１４年11月）のメイン会場として作られた北京北郊の雁栖湖（がんせいこ）畔で、「ニュー・エコノミー・フォーラム」（創新経済論壇）が開かれました。これは米ブルームバーグが２０１８年にシンガポールで立ち上げたフォーラムで、２回目の会議を北京で行ったのです。

この時、96歳のヘンリー・キッシンジャー元米国務長官、ヘンリー・ポールソン元米財務長官、マイクロソフト創業者のビル・ゲイツ氏、クリスティーヌ・ラガルド前ＩＭＦ専務理事など、アメリカの親中派代表３００人余りを含む世界の５００人余りのＶＩＰが参加。中国の幹部も総結集し、最終日には、過去半世紀で１００回近く訪中しているというキッシンジャー氏らと、習近平主席が会見しました。

このフォーラムでは、世界貿易、デジタル経済、気候変動など、国際社会が抱えている多くの課題を討論しましたが、実は中国には、北京に招致した目的がありました。それは、「米中新冷戦を回避する道を探る」というものです。そのため、中国が頼る親中派アメリカ人の代表格を一堂に招待し、意見交換を図ったのです。

このフォーラムの終了後、習近平総書記は11月29日と12月6日の2度にわたって、党中央政治局会議（トップ25）を招集しました。フォーラムの結果を踏まえて、「御前会議」で「米中新冷戦」について話し合ったのです。

その結論は、極めて悲観的なものとなりました。「２０２０年11月のアメリカ大統領選挙で共和党と民主党のどちらの候補が勝利しようが、今後アメリカとの長期的かつ全面的な対立は不可避である」――これが結論でした。

そんな中で、２０２０年を迎えます。1月15日、第1段階の貿易戦争に関して、ホワイトハウスで、トランプ大統領と劉鶴（りゅうかく）副首相が、「ファースト・ステージの合意文書」に署名しました。今後2年間で2000億ドル相当のアメリカの農産物などを、中国が購入することなどを盛り込んだ内容です。しかし前出の中国の関係者によれば、決して気分のよい合意ではなかったと言います。

「何とか応急手当して、傷口を止血したという状態だった。トランプも大統領選挙前に何らかの妥結が必要だった。だが11月にトランプが再選されれば、セカンド・ステージの交渉が始まり、アメリカは中国の国有企業改革を要求してくる。これは改革というより解体に近い要求で、社会主義のわが国としてとても呑めるものではない。もしアメリカ側が民主党に政権交代したとしても、タフな貿易交渉が行われるのは確実だ」

半導体チップという中国のアキレス腱

第2段階の技術戦争に関しては、ファーウェイを「エンティティ・リスト」に組み入れて丸1年が過ぎた5月15日に、アメリカ商務省がさらなる必殺パンチを浴びせました。

「エンティティ・リストを弱体化させようとするファーウェイの取り組みに対応し、アメリカの技術で設計、生産された製品を制限する」と題した長文の通達を出したのです。その内容は、ファーウェイと子会社のハイシリコン（海思半導体）が設計した半導体をファウンドリー（半導体生産委託業者）が受託する場合、アメリカ由来の技術やソフトウェアなどを使用していて商務省の許可を得ていなければ、その企業をアメリカ市場から追放するというものです。

話を単純化させて言えば、中国の5G戦略を支えているのはファーウェイです。そしてファーウェイの最新テクノロジーを支えているのは、TSMC（台湾積体電路製造）という台湾のファウンドリーです。そこでアメリカは、元栓（TSMC）を閉める措置に出たのです。

TSMCは、台湾で「半導体の父」と呼ばれる張忠謀（モリス・チャン）氏が、1987年に設立した企業です。張氏は浙江省寧波の出身ですが、35年あまりアメリカ生活を送った後、台湾工業技術研究院長に就任。この研究院とオランダのフィリップス社が提携して、いわば台湾の「国策企業」としてTSMCを創業したのです。

本社は台湾の新竹サイエンスパークにあり、従業員は5万1000人、2019年の売上高は1兆700万台湾ドル（約4兆円）に上ります。アップルやファーウェイなど世界の有力企業499社に半導体を提供し、その受託生産の世界シェアは約5割という圧倒的ナンバー1企業です。

しかも、5ナノメートル（ナノは10億分の1）の極小半導体という世界最先端の技術を保有。数年後には3ナノ、2ナノまで開発するとしています。台湾は日本と並んで「スマートフォンの負け組」ですが、こと半導体に関しては、日本と違って「超勝ち組」なのです。

ファーウェイの5Gスマホや5G基地局で使われている半導体は、ハイシリコンが設計し、TSMCが生産してきました。TSMCにとってファーウェイは、2019年の売り上げの約14％を占める2位の顧客ですが、1位の米クアルコムは約23％を占めています。TSMCはこれまで、明らかに中国よりもアメリカに軸足を置いてきた企業であり、アメリカを取るか中国を取るかとなれば、アメリカを取ることになるのは必然です。

実際、アメリカ商務省がこの通達を発表した5月15日にTSMCのホームページを確認すると、同日付で「先端半導体の工場をアメリカに建設」と題したニュースを発表していました。アリゾナ州で5ナノの最新工場を2021年から建設し、2024年の生産開始を目指すという内容です。

一方、TSMCとの取引を切られたファーウェイは、中国のファウンドリー最大手のSMIC（中芯国際集成電路製造）との取引に差し替えるとも報じられましたが、「差し替え」にはなりません。なぜならSMICは、2019年末にようやく14ナノの半導体を作り始めたレベルで、TSMCの「5年遅れ」を走っているからです。このところ技術革新が目覚ましい中国ですが、「産業のコメ」と称される半導体チップがアキレス腱になっていて、その弱点をアメリカに突かれたのです。

加えてアメリカ国防総省は2020年12月3日、SMICを「共産中国軍事企業リスト」に加えました。この制裁によってファーウェイにトドメを刺した格好です。これでファーウェイを始め35社の中国企業がこのリストに上がり、中国は対抗措置として12月1日に輸出管理法を施行しました。

前述のように、私はファーウェイという会社を広東省でつぶさに視察しましたが、その最大の特徴は、「極限の工夫」にあります。「徹底的に無駄を削ぎ落とす製品作り」ということです。まるで一流のボクシング選手がトレーニングで筋肉を鍛え、ダイエットで無駄な贅肉を削ぎ落としていくように、すでにある製品から、余計なものを取り除いていきます。もしくは部品を高性能なものに組み替えていく。そうやってギリギリまでダイエットした筋肉質の製品を生み出すのです。そして他社よりも軽くて高性能、かつ安価な製品を、世界市場で大量販売していくわけです。

その際、部品に関しては、自社で作るのではなく、その分野で世界最先端の製品を作っている会社から大量に買い付けていきます。優れたものはどんどん世界中から調達して、二人三脚で世界最高水準の製品を作っていくという発想なのです。そのため半導体チップに関しては、ＴＳＭＣが世界一なのだから、自分たちは設計だけやって、生産はＴＳＭＣに任せるというスタイルを取ってきました。結果として、この手法がアダになったわけです。

そこで遅ればせながら、ファーウェイはハイシリコンの本部機能がある上海で、アメリカの技術に頼らない半導体工場を建設することにしたと、英フィナンシャルタイムズ紙（11月1日付）が報じました。45ナノから始めて、2年以内に20ナノまで縮小していくとのことですが、その頃にはTSMCは3ナノの半導体チップを作る予定なので、遅きに失した感があります。

それでも、5Gとその先の6Gに関して、世界で一番多く国際特許を保有しているのはファーウェイです。中国が近未来にTSMCレベルの半導体チップを量産できるようになれば、再び先端技術でアメリカを凌ぐ可能性があります。アメリカ自身は、すでに製造業を放棄したに等しいからです。

最大の要所・台湾を巡る米中の攻防

実はファーウェイを巡る米中の攻防の裏には、台湾を巡る米中の攻防があります。第2段階の技術戦争は突き詰めれば、台湾のTSMCやホンハイ（鴻海精密工業）を、米中のどちらが手中に収めるかという競争でもあるのです。

それればかりか、台湾こそは、「米中新冷戦」の第3段階の人権戦争、第5段階の疫病戦争、第6段階の外交戦争、そして最終段階の軍事戦争と、大半の対立要素に関わってくる最大の急所です。台湾をアメリカが取るか、中国が取るかで、「米中新冷戦」の勝敗が決すると言っても過言ではありません。

そんな台湾は現在、民進党の蔡英文(さいえいぶん)政権下にあります。蔡英文政権については後述しますが、台湾の歴代政権の中で最も「親米反中」を明確にしている政権です。民進党はそもそも、台湾独立を綱領に掲げた政党であり、蔡英文政権の立場は、「台湾はすでに独立国家なのだから、独立をわざわざ求めるまでもない」というものです。

こうした姿勢に、中国の習近平政権は、いまにも攻め込まんばかりに威嚇(いかく)の度合いを強めています。そもそも前述のように、習近平主席の「2期10年」を超えての長期政権は、「台湾統一」を前提にした了解事項なので、おのずと統一の気持ちははやります。

私は台湾にも、年に一度くらいは足を運ぶようにしていますが、2360万台湾人の意識が明確に変化したのは、前述の2019年6月以降の香港のデモがきっかけでした。それまでは、中国との友好によって経済発展を図ろうとする国民党の「民主ばかり唱えていてもメシは食えない」という主張は、それなりの説得力を持っていたのです。

それが香港のデモをきっかけに、蔡英文政権の「民主がないとメシは食えない」「今日の香港が明日の台湾になってもよいのか?」といった主張が、完全に台湾人のコンセンサスになっていったのです。私は2020年1月の台湾総統選挙を取材に行きましたが、若者たちが主力となった民進党の集会に行くと、台湾独立の旗が振られていたり、台湾独立バッジが大量に販売されたりしていました。そうした人々に支えられた蔡英文総統は、817万票という奇跡のような史上最高得票数で再選されました。

蔡英文政権は、新型コロナウイルスも「武漢肺炎」と呼び、反中政策の一環として対処しました。

そんな台湾を後押ししたのがトランプ政権です。トランプ政権の事実上の最後の年にあたる2020年は、「米中新冷戦」が強まった一年でした。ポンペオ国務長官は7月23日のスピーチで、次のように述べています。

「ニクソン大統領はかつて、世界を中国共産党に開いた時、フランケンシュタインのように怪物を作ってしまったかもしれないと恐れた。だがいま存在しているのが、まさにそれだ。中国はいまや自国では権威主義を強め、国外では至る所で敵意を剝き出しにしている。

中国共産党の体制はマルクス・レーニン主義の体制であり、習近平総書記は破綻した全体主義思想の信奉者であるということに、われわれは心を留め置かねばならない。

もしいま行動を起こさなければ、最終的に中国共産党は、われわれの自由を侵食し、われわれの社会が懸命に築き上げてきたルールに基づいた秩序をひっくり返すだろう。われわれが許さない限り、習総書記は中国内外で、永遠に暴君でいられる運命ではないのだ。

これはこれまで直面したことのない複雑で新たな挑戦だ。ソビエト連邦は自由世界から閉鎖されたが、共産党の中国は、すでにわれわれの国境の中に入ってきている。自由世界が変わらなければ、共産中国が確実にわれわれを変えてしまうだろう」

これは、習近平政権への「宣戦布告」と言ってもよいスピーチでした。しかもポンペオ国務長官は、わざわざ西海岸のカリフォルニア州にあるニクソン記念図書館へ行ってスピーチしました。1971年に中国との関係改善を謳ったリチャード・ニクソン大統領の決断から半世紀を経て、アメリカが対中政策を全面的に変えることを示すためです。

このスピーチの直後、アメリカはヒューストンにある中国領事館を閉鎖。中国も報復措置として、四川省成都にあるアメリカ領事館を閉鎖させました。その後、互いの国に滞在している研究者や留学生などにも影響が出始めています。こうした一連の出来事が、第6段階の外交戦争です。

ポンペオ国務長官は、9月16日に日本に菅義偉政権が誕生すると、間髪を容れず10月6日に来日し、東京で日米豪印外相会合を開きました。いわゆる「QUAD」(日米豪印)で、自由と民主の価値観を同じくする4ヵ国で中国包囲網を築こうというわけです。

こうした米中対立は、これまで蔡英文政権が望んでいたが得られなかったもの――米台接近をもたらしました。5月の蔡英文総統の2期目の就任式には、ポンペオ国務長官がアメリカの国務長官として初めて、祝賀メッセージを送りました。8月にはアメリカのアレックス・アザー厚生長官が、9月にはキース・クラック国務次官が、立て続けに台湾を訪問しました。いずれも、1979年にアメリカが台湾と断交し、中国と国交を結んで以来、最高位の訪台です。

台湾で民進党のライバルの国民党は、「親中政党」のレッテルを貼られたことで、解党的危機に陥りました。そんな中、2020年3月に国民党主席に就任した48歳の江啓臣（こうけいしん）氏は10月6日、台湾とアメリカが再び国交を結ぶよう推進していく法案を、立法会（国会）に提出しました。この英断に、与党・民進党の議員たちが、普段は罵り（ののし）合っている国民党の議員たちに握手を求めに行くという珍しい光景が見られました。そしてこの法案は、圧倒的賛成多数で可決されました。

これに対して、中国側は怒り心頭です。10月だけで20回も、台湾が設定した防空識別圏に戦闘機などを侵入させました。アメリカ軍が引いた台湾海峡の中間線を越えた中国軍機の飛行も相次いでいます。10月11日には台湾近海で、陸海空合同の大規模な軍事演習を実施しました。もういつでも台湾を攻撃するぞと言わんばかりの挑発です。

「空白の2ヵ月半」を狙え

北京では「空白の2ヵ月半を狙え」という言葉が合い言葉になりました。これは、11月3日のアメリカ大統領選挙から、翌2021年1月20日の大統領就任式までの期間を指します。周知のように、現職のトランプ大統領が敗北しましたが、なかなかバイデン大統領当選者に負けを認めず、アメリカ国内は混乱しました。中国はこれを好機と捉え、その間に「勢力拡大」を狙ったのです。

まず手を付けたのは、香港でした。新華社通信は11月11日、全国人民代表大会常務委員会で、「立法会（香港議会）議員が香港独立を主張したり外国勢力の香港介入を要請したり、国家の安全に危害を加えたり香港基本法を支持しなかった場合は、直ちに議員の資格を失う」ことを決議したと発表。これに歩調を合わせる形で、香港特別行政区政府の林鄭月娥長官は、「民主派議員4人の資格を失効させた」として、会見を開いてその正当性を主張しました。

中国は、6月に香港国家安全維持法を定めたのに続き、また一歩、「一国一制度」に向けて歩を進めたのです。

ところがこの時、香港の民主派議員たちは、対抗策を誤ったと思います。翌12日、15人の民主派議員たちが、立法会に「抗議の辞職届」を出してしまったのです。それによって、議席数70議席の香港立法会において、欠員などもあって、建制派（親中派）41人に対し、民主派はわずか2人になってしまいました。

香港立法会の選挙は、本来なら9月6日に行う予定でした。それを「新型コロナウイルスのリスクを回避するため」として、中国政府と結託した林鄭長官が、1年延期を発表しました。予定通り選挙を行えば、前年の区議会議員選挙と同様、立法会で民主派が躍進することを懸念したのです。

こうして任期が1年延長されたからこそ、民主派議員たちは「立法会議員」として闘うべきなのに、その貴重な肩書を自ら返上してしまうとは、中国政府と香港特別行政区政府側の思う壺（つぼ）というものです。頼みの綱のアメリカが動けない時期ということで、焦りもあったのでしょうが、これでは多勢に無勢というものです。この先、中国政府と結託して香港基本法第5条の「一国二制度」条項を改正してしまうかもしれません。中国はこれまで9回も憲法を改正しており、臨機応変に憲法を改正する国家だからです。

RCEPとTPPで攻勢

中国は、経済貿易面でも攻勢に出ます。11月15日、RCEP（地域的な包括的経済連携）の署名式が、オンライン形式で行われました。日本、中国、韓国、ASEAN10ヵ国、それにオーストラリアとニュージーランドを加えた15ヵ国による広域自由貿易圏です。域内人口23億人、世界の貿易額、ＧＤＰの約3割を占める、ＥＵ（ヨーロッパ連合）やＵＳＭＣＡ（米国・メキシコ・カナダ協定）よりも大きな世界最大の自由貿易市場が誕生することになりました。そして何と言っても中国のＧＤＰは、残りの14ヵ国の総和よりも大きいため、ＲＣＥＰは中国を中心とした自由貿易圏ということが言えます。

習近平主席はこの調印式の5日後、今度はＡＰＥＣ（アジア太平洋経済協力会議）首脳会合で、ＴＰＰ（環太平洋パートナーシップ協定）に参加すると表明し、日本やアメリカなどを仰天させました。

このことは第4章で詳述しますが、ＴＰＰは日本とアメリカを中心としたアジア太平洋地域12ヵ国による自由貿易協定でしたが、トランプ大統領が離脱を表明し、アメリカを除く11ヵ国で２０１８年3月に締結されました。その「空席」に中国が就こうというのです。しかも習主席のオンラインのスピーチは、トランプ大統領や菅首相ら20ヵ国・地域の首脳の面前で発表されました。

その後、この件を取材していくと、中国の狙いはアメリカを爪弾き（つまはじ）することではなく、むしろ引き込むことにあることが分かりました。すなわち、中国がＴＰＰへの加入を希望すれば、バイデン政権も復帰してくることが見込まれます。そして米中が同じＴＰＰの枠組みに入れば、経済貿易面での米中デカップリング（分断）は起きないというわけです。それで「空白の2ヵ月半」を利用して機先を制する発言をしたのです。

翌週には、王毅国務委員兼外相を日本と韓国に派遣しました。ともにアメリカの同盟国である日韓を、「空白の2ヵ月半」に少しでも中国の側に引き寄せておこうというわけです。

中国には、「時間は中国の味方する」という基本的な考え方があります。時間の経過とともに中国の国力がアメリカに追いついていくからです。習近平主席の愛読書である毛沢東主席の『持久戦論』は、中国共産党幹部たちの必読書になっています。これは1938年5月から6月にかけて、毛沢東主席が演説した「抗日戦争勝利のための戦術」で、一時後退し、実力を蓄えた上で反撃し、最終的に勝利するという持久戦を説いたものです。21世紀は『持久戦論』をアメリカに適用していこうということです。

ともあれ、アメリカでバイデン新政権が誕生したことに伴い、「米中新冷戦」は新たな展開を見せていきます。その具体的な形はまだ見えてきていませんが、日本も含むアジア全体が、否が応でも巻き込まれていくことは確実です。

「健康こそは最大の人権である」

「コロナ対策を最優先させる」というバイデン新政権が発足する中で、中国が2021年前半に勝負をかけているのが「ワクチン外交」です。

新型コロナウイルスは周知のように、中国湖北省の省都・武漢が発生源となり、900万人の武漢市民が76日間にわたってロックダウン（都市封鎖）されました。そこからウイルスは中国全土に拡散し、全世界に拡散していったわけです。

こうしたコロナ禍に加えて、夏場には観測史上最悪の2ヵ月半に及ぶ豪雨が、中国を襲います。アジア最大の河川である長江流域を始め、全土で433もの河川が氾濫。この豪雨被害は、コロナ禍からの「復工復産」（仕事と生産の復活）に大きくブレーキをかけます。

中国には、「庚子（かのえね）の大禍」という言葉があります。1840年にアヘン戦争が起こり、「屈辱の100年」（半植民地化）の道が始まります。1900年には義和団の乱が起き、それがもとで清王朝が崩壊。1960年は大飢饉（ききん）が起こり、前後の3年で最大5000万人が餓死しました。そして2020年の庚子も、冬のコロナと夏の洪水が襲ったのです。

習近平政権がコロナ危機にどう対処したかは、第2章で詳述します。簡単に言うと、社会主義の特長である「スピードと強制力」で、日本の26倍の国土と11倍以上の人口を抱える巨大社会における感染を抑え込んでいったのです。

トランプ大統領は一貫して、新型コロナウイルスを「チャイナウイルス」と呼んで、中国を非難してきました。中国はそうした国際的な非難の声を、「健康こそは最大の人権である」という考えに基づいて、「反敗為勝」（敗北を勝利に変える）の戦略に出たのです。それが「ワクチン外交」でした。

混乱するアメリカを尻目に「世界に協調する中国」を強調するため、10月8日に「COVAXファシリティ」への参加を果たしました。「COVAXファシリティ」とは、世界のすべての国・地域にワクチンを公平に供給しようとの趣旨で、WHO（世界保健機関）などが進めるワクチン共同購入の枠組みです。

9月18日の参加締め切り日までに、世界の167ヵ国・地域が参加を表明し、日本も9月15日に参加を閣議決定。しかし、アメリカ・中国・ロシアの3大国が参加を見送ったことがネックになっていました。ところが中国は、締め切り日を20日も過ぎてから、一転して参加することにしたのです。

WHOのデータ（12月10日）によれば、中国では左記のワクチンを開発中です。

○第3相臨床試験

・シノバック・バイオテック（科興ホールディングス）の不活化ワクチン
・武漢生物製品研究所&シノファーム（中国医薬集団）の不活化ワクチン
・北京生物製品研究所&シノファームの不活化ワクチン

・カンシノ（康希諾生物）のウイルスベクターワクチン
・安徽智飛生物製品&中国科学院微生物研究所のプロテイン・サブユニット
○第2相臨床試験
・四川大学華西医院のプロテイン・サブユニット
・北京万泰生物薬業&アモイ大学の経鼻インフルエンザベースRBD
○第1・5相臨床試験
・中国医学科学院医学生物研究所の不活化ワクチン
・深圳康泰生物製品の不活化ワクチン
○第1相臨床試験
・カンシノ（康希諾生物）&軍事医学科学院生物工程研究所のウイルスベクターワクチン
・人民解放軍軍事医学研究院&雲南沃森生物技術のRNAワクチン

このように、臨床試験に入った51種類中、11種類が中国勢です。ちなみに、日本では大阪大学&タカラバイオと塩野義製薬が「参戦」していますが、大きく出遅れています。かつ塩野義製薬も、中国保険最大手の中国平安保険グループと組み、同社が持つ3億人超の健康データを基に新薬を開発すると宣言しています。日本は代わって、米ファイザーから

6000万人分、モデルナから4000万人分、英アストラゼネカから6000万人分のワクチン提供を受けるとしています。

アジア最大のシノファーム

中国でコロナウイルスのワクチンを研究開発しているのは、主に次の3社です。

○シノファーム（中国医薬集団）

中国最大の医薬系の国有企業で、2019年の売上高は約5000億元（約7・5兆円）、従業員約15万人。「フォーチュングローバル500」で145位、世界の医薬業界では5位、アジアでトップ。これまでに認可を受けた医薬品は約3260種類で、特許数は2340。中国全土に約7000軒の薬局も展開しています。中国の薬学系名門大学院を出た若者が、最も入社したがる会社として知られます。

○シノバック（科興）

2001年に北京大学が設立した北京科興生物製品が母体となっています。2003年のSARS（重症急性呼吸器症候群）騒動の時に活躍し、一躍有名になりました。2009年に、米ナスダック市場に上場し、特許数は約60です。

○カンシノ（康希諾生物）

2009年に天津の濱海新区で創業した民営企業。創業者の宇学峰（うがくほう）会長はカナダで薬学博士号を取り、フランス最大の医薬品メーカーのサノフィの幹部を務めた中国の著名人です。2019年3月に香港市場に上場し、2020年8月13日には、上海の科創板にも上場。世界の大手医薬品メーカーに勤める中国人を次々にヘッドハンティングして成長しました。コロナワクチンは人民解放軍の研究機関と組んで開発中で、カナダで臨床試験を行っていましたが、中国とカナダの関係悪化により、8月に打ち切りました。

この3大メーカーの中でも傑出しているのが、アジア最大の医薬品メーカーであるシノファームです。世界中で展開されているコロナウイルスのワクチン競争で、一時はシノファームがトップを走っているかのように思われていました。

中国政府は2020年5月下旬に開いた全国人民代表大会で、1兆元（約15・9兆円）の「コロナ債」発行を決めました。この莫大な国家予算が、シノファームを始めとする中国製ワクチンの開発に投入されています。国家の資源を惜しみなく集中的に投入できるというのも、社会主義の強みの一つです。

中国はタイミングがよいことに、2019年12月1日にワクチン管理法を施行しており、その第26条で「国家がワクチンの批准発行制度を実行する」と定めています。この新法を利用して、2020年7月22日にコロナウイルスワクチンの緊急使用を認めました。本来なら数年はかかる認可の手続きを、大幅に短縮してしまったのです。

ところが、2020年の年末、臨床試験をすべてパスして正式な認可を受けたワクチン第1号となったのは、中国製ではありませんでした。12月2日、英医薬品医療製品規制庁（MHRA）が、米ファイザーと独バイオ医薬ベンチャーのビオンテックが共同開発したワクチンを承認したのです。同月8日から、実際にイギリスで接種が始まりました。11日には米食品医薬品局（FDA）もこのワクチンの緊急使用許可を出しました。

中国は欧米との熾烈なワクチン競争で、なぜ出遅れたのでしょうか。中国の関係者に聞くと、負け惜しみのように答えました。

「何とも皮肉なことだが、わが国は新型コロナウイルスの感染防止が成功しすぎて、中国国内にワクチンの被験者となる感染者が、足りない状況になってしまった。特に第3相の最終臨床試験には、何万人という被験者が必要だからだ。

仕方なく海外で第3相の臨床試験を行っているが、外国にはその国のルールや事情があるので、中国国内のように自由には進んで行かない。それで当初予期していたよりも、第3相の臨床試験に時間がかかってしまったのだ」

この関係者は決して口にしませんが、私は中国の「戦狼外交」の影響もあると見ています。カンシノはカナダから追い出されましたし、ブラジルでも激しい「中国製ワクチン反対運動」が起こっています。

もう一つ、中国製ワクチンの欠点が指摘されています。それは、多くが「不活化ワクチン」という、言ってみれば20世紀型の「アナログワクチン」であることです。これに対し、欧米の主流は「mRNAワクチン」で、こちらは21世紀型の「デジタルワクチン」です。今後、新型コロナウイルスが突然変異した場合、ワクチンを対応させていくスピードにも差が出てきます。

ただ、中国製ワクチンにもメリットがあります。それは、精巧な「mRNAワクチン」は、零下70度で運搬、保存しないと効力を失われてしまうのに対し、「不活化ワクチン」は通常の冷蔵庫で保存可能なことです。

そのため、欧米のワクチンは先進国向け、中国のワクチンは発展途上国向けとして、2021年に世界に展開していくと見込まれます。重ねて言いますが、中国は「健康こそは最大の人権である」という発想に基づいており、「人類衛生健康共同体」を唱える習近平主席のプロパガンダとともに、ワクチン外交を展開していくことでしょう。

第2章　「コロナ対応」の東アジア比較

世界や近隣諸国と較べても日本が最低

新型コロナウイルスに世界中が襲われた2020年の暮れに、OECD（経済協力開発機構）が、日本にとって衝撃的とも言えるデータを発表しました。それは、2022年までに、G20（主要国・地域）の経済が、どの程度回復するかを見通した指標で、次ページの通りです。OECDは、こんな解説を付けています。

〈世界のGDPは、2020年に4・2％減少した後、2021年には4・2％増加すると予想される。ウイルスを抑制したアジア諸国で、最も強い回復が見られる〉

OECDのデータによれば、日本は2020年、世界経済平均の落ち込みより1・1ポイント悪い5・5％の減少を記録しました。しかし「アジア諸国で最も強い回復が見られる」と断言しているにもかかわらず、日本の回復ぶりは、G20で最低なのです。2020年が、G20で唯一プラス成長を果たした中国の「一人勝ち」なら、2021年と2022年は、いわば日本が世界で「一人負け」状態に留め置かれるとOECDは予測しているのです。

次に、OECDが言う「ウイルスを抑制したアジア諸国」について見てみます。2020年12月10日までの人口100万人あたりの新型コロナウイルスの感染者数と死亡者数を、日本、韓国、中国、台湾で比較してみました。上が感染者数で、下が死亡者数です。

国・地域	2020年	2021年	2022年
日本	**-5.3**	**2.3**	**1.5**
アルゼンチン	-12.9	3.7	4.6
オーストラリア	-3.8	3.2	3.1
ブラジル	-6.0	2.6	2.2
カナダ	-5.4	3.5	2.0
中国	1.8	8.0	4.9
フランス	-9.1	6.0	3.3
ドイツ	-5.5	2.8	3.3
インド	-9.9	7.9	4.8
インドネシア	-2.4	4.0	5.1
イタリア	-9.1	4.3	3.2
韓国	-1.1	2.8	3.4
メキシコ	-9.2	3.6	3.4
ロシア	-4.3	2.8	2.2
サウジアラビア	-5.1	3.2	3.6
南アフリカ	-8.1	3.1	2.5
トルコ	-1.3	2.9	3.2
イギリス	-11.2	4.2	4.1
アメリカ	-3.7	3.2	3.5
ユーロ圏	-7.5	3.6	3.3
G20	-3.8	4.7	3.7

OECDのG20経済回復予測 （2020年12月時点、GDP成長率、単位%）

OECD Economic Outlook, December 2020 - GDP projections(http://www.oecd.org/economic-outlook/december-2020/) より作成

日本	１３７６人	20人
韓国	７７４人	11人
中国	68人	３・４人
台湾	31人	０・３人

このように、近隣諸国・地域と比較しても、日本の「敗北」は一目瞭然なのです。

新型コロナウイルスは、２０１９年の年末、中国の武漢が発生源となりました。しかしその後は瞬く間に世界中に蔓延していったため、世界のすべての国と地域が対応に追われました。世界中が、本来なら10年から15年くらいかけて行う「変更」を迫られたのです。

その結果、対応に成功した国・地域と、失敗したところとが、如実に表れました。各政府の危機管理能力の差が、ごまかしようもなく露呈したのです。つまり、日本政府は世界の主要国、および近隣諸国・地域の中で、最も危機管理能力が劣っているということです。

武漢では９９０万市民全員にＰＣＲ検査を実施

実際、日本のこの一年のコロナ対応を振り返ると、後手後手になった感は否めません。

まず、２０２０年１月下旬に豪華客船ダイヤモンド・プリンセス号の船内でクラスター

（集団感染）が起こり、2月初旬に横浜港に帰港しました。しかし、3711人も船内に閉じ込めたまま、日本政府は右往左往するばかりで、世界のメディアから「横浜のタイタニック号」と揶揄（やゆ）されました。

その頃から、PCR検査が足りないという問題が顕在化（けんざいか）しました。検査の母数を増やせば、どこで感染が発生し、どのように拡大しているかという輪郭（りんかく）が摑（つか）めてきます。そのため、いかにPCR検査の数を増やすかということに、各国とも尽力したわけです。

NPO法人医療ガバナンス研究所の上昌広（かみまさひろ）理事長の調査によれば、6月8日時点での人口1000人あたりの1日平均のPCR検査数は、日本は0・03。これに対し、アメリカ1・38、イタリア0・83、ドイツ0・56、フランス0・42、韓国0・25でした。日本は先進4ヵ国平均の27分の1で、韓国と較べても8分の1以下だったのです。

新型コロナウイルスの発生源となった武漢では、4月に市の封鎖を解いた後、5月に入って第2波が忍び寄ってきました。すると、5月中旬から6月初旬までの19日間で、全市民990万人のPCR検査を実行。その結果、陽性者300人を炙（あぶ）り出し、そこから濃厚接触者も割り出しました。そして彼らを徹底的に隔離することで、「第2の危機」を起こさずに済んだのです。10月に青島でクラスターが発生し、12人の感染が確認された際にも、900万市民全員のPCR検査を実施しました。新疆（しんきょう）ウイグル自治区のカシュガルでも、10月に475万全市民のＰＣＲ検査を実施しています。

武漢で990万市民を検査する際に用いたのは、「20人一組」の集団検査でした。20人分の検体を一緒に混ぜて検査するのです。それによって結果が陰性ならば、20人の中に一人も感染者がいないことになります。逆に陽性反応が出たら、そこで初めて20人を一人ひとり検査し直すわけです。陽性の人より陰性の人の方が圧倒的に数が多いため、かなりの時間と労力の節約になりました。

日本では、保健所の職員に限界があるのは分かります。全国の保健所の数は、30年前には約850ヵ所ありましたが、行政改革などを経て、2020年には469ヵ所まで減っています。その限られた中で、相談電話への応対、ＰＣＲ検査の実施、入院や宿泊施設の調整、陽性者とその濃厚接触者へのフォロー……と、感染者の増加とともに仕事は増えていく一方です。これでは保健所のスタッフが疲弊していくのは当然です。

しかしそれなら、民間の検査会社を活用すればよいだけのことです。12月10日になってようやく、1回1980円の検査施設が東京駅近くにオープンし、申し込みが殺到しました。

隣の韓国は、新型コロナウイルスのクラスターが発生した段階で、全国の保健所の業務を、一時的に新型コロナウイルス関連に限定しました。子供の予防接種など他の業務をすべて放棄し、全職員がコロナ対策だけに集中したのです。

さらに、PCR検査での保健所職員の負担を減らし、かつ効率よく多くの人に実施するため、世界初のドライブスルー式PCR検査を実施しました。市民がまるでマクドナルドのハンバーガーをドライブスルーで買うように、自家用車に乗ったまま検査できるようにしたのです。

日本では、新型コロナウイルスの感染者数などを把握するにあたって、病院と保健所、保健所と都道府県庁、都道府県庁と厚労省などが、いまだに電話とファックスを用いてやりとりを行っているという実態も、明らかになりました。

このニュースも、中国、台湾、韓国などで大きく報じられ、啞然(あぜん)とされたのです。日本と北朝鮮以外の東アジアにおいては、ファックスというのは、カメラのフィルムやCDプレーヤーなどと同様、「過去の遺物」という認識だからです。厚生労働省は5月29日から慌てて、HER－SYS（感染者等情報把握・管理支援システム）を導入しましたが、「かえって不便だ」という声が方々から上がり、なかなか普及しませんでした。

アジアが仰天した経済担当相の「コロナ大臣」就任

日本政府のコロナ対策の中でも、アジアの近隣諸国が仰天したことの一つが、日本でも感染爆発が始まりかけた3月6日に、当時の安倍晋三首相が唐突に、西村康稔(やすとし)経済再生担当大臣を新型コロナウイルス担当大臣に任命したことです。

どんな国・地域でも、コロナ対策は厚生労働大臣に相当する大臣の担当と決まっていま す。例えば、中国では馬暁偉（ばぎょうい）・国家衛生健康委員会主任が責任者を務めました。中国医科大学を卒業した医師で、中華医学会（中国の医師会）の会長まで務めた人物です。2003年のSARS（重症急性呼吸器症候群）騒動の際には、衛生部（国家衛生健康委員会の前身）副部長（副大臣）として、最前線で指揮に当たりました。

台湾では、陳時中（ちんじちゅう）・衛生福利部長（大臣）がコロナ対策の「指揮官」となりました。元は台北市の歯科医ですが、その後、感染症について深く学び、新型コロナウイルスが発生するや、中央流行疫情指揮中心（CECC）の指揮官として、八面六臂（はちめんろっぴ）の活躍を見せました。毎日午後2時から行う記者会見では、どんな専門的な疫学上の質問にも淀みなく答え、記者が最後の質問を終えるまで席を立たないことから「鉄人」のニックネームがつきました。

韓国では、女性の鄭銀敬（チョンウンギョン）・疾病管理本部長（現疾病管理庁長）が、やはり「コロナ退治のヒロイン」として脚光を浴びました。2015年にMERS（中東呼吸器症候群）が韓国で猛威を振るった際、疫病の専門家として最前線で活躍し、2017年7月に疾病管理本部長に就任しました。やはり台湾の陳指揮官と同様、毎日午後2時から記者会見を開き、感染症の専門用語を駆使しながらも、記者たちに分かりやすく解説。ある記者が「あなたは一体いつ寝ているのですか？」と質問した時には、「少なくとも毎日1時間は寝ていますよ」と澄まし顔で答えていました。

このように、中国、台湾、韓国ともに、経験と実績を十分積んだ「感染症のプロ」が責任者となり、新型コロナウイルスに対応したわけです。

ところが日本だけは違いました。そもそも加藤勝信厚労相（当時）は元財務省の役人で、医学や疫病の見識は持ち合わせていません。それなのに安倍首相は、さらに「素人」の経済産業省出身の西村経済再生相を、「コロナ担当大臣」に任命したのです。その時、首相官邸の関係者に聞くと、こう答えました。

「安倍首相は、会見や国会答弁で時にしどろもどろになる加藤厚労相が、このまま表に立っていては、内閣支持率が下がると考えた。それで、イケメンで国会答弁のうまさに定評がある西村経済再生相に『顔』を変えたのだ。自派（細田派）の議員に経験を積ませ、将来の首相候補に育てたいという気持ちもあった」

この西村大臣の就任を受けて、私も、普段つきあいがあるアジア各国のメディアから、「なぜ経済担当の大臣がコロナ担当大臣になったのか？」と聞かれました。自国の常識では考えられない事態が、日本で起こったからです。「経済人がＩＣＵ（集中治療室）に入ってメスを握るというのか？」「日本は感染防止を放棄して経済復興のみで行くという意思表示なのか？」などと質問攻めに遭ったのです。

私は、日本ではまだコロナ危機が起こっていなかった2020年2月中旬のある晩、西村大臣と会食する機会がありました。その席で私は、中国で起こっている惨状を説明した上で、「このまま日本が手を打たなければ、今日の武漢が明日の東京になります」と述べました。

灘高、東大、経産省というエリート街道を歩んできた西村大臣は、とても真面目な政治家で、時折メモを取りながら、私の話を熱心に聞いていました。そして、もしも日本にもこの先、新型コロナウイルスが広まったら、どのような経済損失が出るかということに思いを馳せていました。経済再生相なのだから当然です。

その後、コロナ担当大臣になられてからも、大臣室にお邪魔したことがあります。大臣室の隣に秘書室があり、十数人の秘書官たちが、パソコンに向かって熱心に仕事をしていました。

その時、ふと気づいたのですが、コロナ担当の西村大臣の部下は、彼らがすべてなのです。前出の首相官邸関係者もこう言いました。

「西村大臣は、土日もなく毎日記者会見し、よく頑張っている。だが、実際の業務は厚労省がやっているわけで、厚労官僚たちは、直属の上司である厚労相や、幹部の人事権を握っている首相官邸を見て仕事している。厚労官僚は、人事権のない西村大臣の言うことは、本気では聞かないよ」

「歴史に残る」(!?)アベノマスク

2020年のコロナ騒動で思い起こすことの一つが、世界中の人がマスクを追い求めた「マスク狂騒曲」です。日本国内のマスク不足が深刻になると、4月1日に安倍首相は、「全家庭に2枚のマスクを送付する」と発表しました。いわゆるアベノマスクです。

しかし、これも悪評紛々でした。小さすぎる、虫が付いていた、不良品だ、などと文句が殺到し、一時は全面回収する羽目になります。その後、ようやく届き始めた頃には、すでにマスク不足は解消されていました。

アベノマスクで判明した最大の教訓は、感染を放置したまま、いくら多額の予算(466億円)を使っても、それはまるでザルで砂をすくうような行為だということです。

隣の台湾では、すでに2月の段階で、2360万人の国民一人当たり、週に2枚ずつ(子供は3枚ずつ)マスクを配給するシステムを整えていました。当時の台湾のテレビニュース(3月9日)を見ていたら、蔡英文総統自ら、桃園(とうえん)市の易廷(えきてい)という会社のマスク工場に乗り込んで、「マスク戦争に勝利するのだ！」と、国民を鼓舞していました。

さらに驚いたのは、そのマスク工場視察に続くニュースでした。何と蔡総統の「鶴の一声」で、全国の刑務所の受刑者たちに科している労働まで、すべてマスク作りに切り替えたというのです。実際、中年男性受刑者のインタビューも見ましたが、「自分の刑務所での労働が、これほど国民のためになると思うとヤル気が出る」と答えていました。

日本では4月7日、第1波の到来に合わせて、安倍首相が7都府県に「緊急事態宣言」を発令しました。以後の年末までの経緯を簡単に記すと、以下の通りです。

4月7日　減収後の月収が一定の水準を下回る世帯に、30万円の給付金を支払う緊急経済対策を閣議決定（後に国民一人当たり10万円に変更）
5月25日　緊急事態宣言解除
6月15日　アベノマスク配布完了
6月19日　「COCOA」（厚生労働省の新型コロナウイルス接触アプリ）運用開始
7月〜8月　第2波到来（一日当たりの感染者のピークは8月7日の1605人）
7月22日　「Go To トラベル」キャンペーン開始
9月15日　「Go To Eat」キャンペーン開始

9月16日　菅義偉内閣発足。コロナ対策を最優先課題にすると強調
11月〜12月　第3波到来。11月18日に1日の感染者数が2000人突破
12月8日　医療崩壊で北海道が自衛隊に看護師の派遣要請。11日に大阪府が派遣要請
12月12日　一日の感染者数が3000人突破。政府の「勝負の3週間」失敗
12月28日〜1月11日　「Go To トラベル」キャンペーン一時停止

暮れは第1波と第2波より強烈な第3波到来で、まさに「悪夢の年末」となりました。

中国が自画自賛した「コロナ白書」

それでは、近隣の中国、台湾、韓国は、どうやって新型コロナウイルスの危機を抑え込んでいったのでしょう？　まずは、発生源となった中国から見ていきます。

中国の新型コロナウイルスへの対応を総括すると、良くも悪くも、日本とは異なる社会主義の統治システムの特徴が如実に表れたものでした。

中国の社会主義システムは、正式には「習近平新時代の中国の特色ある社会主義」と呼びます。その最大の特徴は、「民主集中制」にあります。

14億人の人民（国民）が、「党中央」（習近平総書記をトップとする中国共産党中央委員会）に、

自己の政治的権利を委任します。そして党中央は、人民から委任された強大な権力を、「最大人民の最大幸福」のために行使するのです。

要は、中国伝統の皇帝政治が続いているようなものです。中国歴代の皇帝も、天から「人民の代表」として任命され、絶対権力を駆使して「人民の最大利益」のために尽くすのが使命でした。もしも使命を果たせなければ、「易姓革命」と呼ばれる「人民の反乱」が起こるわけです。

そんな中国で、2020年6月7日、国務院新聞弁公室が「新型コロナ肺炎の疫病に対抗攻撃する中国の行動」を発表しました。いわゆる中国版の「コロナ白書」です。年初から続いた「ウイルスとの戦い」を総括したものでした。

全文は4章立てで、その前後に前文と結語が付いています。まず前文では、新型コロナウイルスの位置づけと、「コロナ白書」を出す目的について述べています。

〈新型コロナウイルス肺炎は、全人類と疫病との戦争である。前代未聞のものが突如、襲来し、獰猛な疫病の天災となったが、中国は国民の生命安全と身体の健康を第一に考え、堅固果敢な勇気と決意を持って、可能な限り最も全面的で最も厳格、最も徹底した防止措置を取り、ウイルスの伝播連動を有効的に遮断した〉

そもそも中国発で世界中が惨禍に巻き込まれたのに、その責任や反省は一言も記されず、「全人類と疫病との戦争」と規定。「中国はこれを勇気を持って遮断した」と自画自賛しているのです。

こうした態度も中国の統治システムに関係しています。すなわち、14億人民から政治的権利を委任された習近平政権としては、「正しいことをした」と言わざるをえないのです。もし「間違っていた」と言えば、「政権を替えろ」という「易姓革命」が起こるかもしれないからです。

そのため、新型コロナウイルスに限らず、あらゆる問題において、「中国共産党は正しい」「習近平総書記は正しい」と宣伝し続けています。党中央宣伝部という宣伝のための巨大機関があり、中国のすべてのメディアは、この機関の統制下にあるのです。

初期段階で露呈した社会主義の隠蔽体質

もう少し「コロナ白書」の内容を見てみましょう。第1章は、「中国の疫病と戦う艱難辛苦の過程」で、次の5段階に分けています。

第1段階：突発的な疫病への迅速な対応（2019年12月27日～2020年1月19日）
第2段階：疫病蔓延の勢いの初歩の抑制（1月20日～2月20日）

第3段階：国内の新たな感染者数が段階的に下降し、一桁になるまで（2月21日〜3月17日）
第4段階：武漢保衛戦、湖北保衛戦の決定的成果の獲得（3月18日〜4月28日）
第5段階：全国の疫病防止の常態化の段階（4月29日〜）

白書では一日一日、中国政府がいかに適切な処置を取ってきたかを詳細に記しています。しかし実際には、特に発生初期の段階において、その対処はとても適切とは言えないものでした。発生源となった湖北省の省都・武漢では、2019年の12月から2020年1月中旬にかけて、感染が拡大していました。しかし、湖北省政府も武漢市政府も、「人から人への感染はない」として、見て見ぬふりをしました。

その最大の理由は、当時の湖北省トップの蔣超良（しょうちょうりょう）党委書記以下の幹部たち、および武漢市トップの馬国強（ばこくきょう）党委書記以下の幹部たちは、北京の習近平総書記だけを見て仕事していたからです。

習総書記が要求していたのは、3月5日に全国人民代表大会（国会に相当）を開くので、1月中に全国各地で人民代表大会を開催し、習近平政権の意向に全面的に服従するという決議を行うことでした。そして中国人が一年で最も大切にする春節（旧正月）が1月25日にやって来るため、各地方とも1月初旬か中旬のうちに、人民代表大会を済ませておかねばならなかったのです。

実際、武漢市は1月6日から10日まで、湖北省は11日から17日まで、人民代表大会を開催しました。この間は、新型コロナウイルス対策は先送りにされました。

後に『武漢日記』が世界中でベストセラーとなる元湖北省作家協会主席の方方(ほうほう)は、こう記しています。

「いま、私が言いたいのは、湖北省の官僚の対応は、中国の官僚の平均値だということである。彼らが特に劣っていたわけではない。彼らは運が悪かった。空論ばかりで現実が軽視され、人が真実を語ることもメディアが真実を報道することも許さない。これらの悪行の報いを私たちは、これから一つずつ味わっていくに違いない」

武漢市が前代未聞の「封城(フェンチェン)」(都市封鎖)となったのは、春節を2日後に控えた1月23日のことでした。

習近平の指導開始日を巡るミステリー

「コロナ白書」には、「習近平総書記が最初の指示を出したのは、1月7日だった」と記されています。

「中南海」で起こっていることはいつもブラックボックスなので、確かめようもありません。しかし状況証拠から見ると、1月20日まで何も知らされていなかったように思います。

なぜなら習総書記は、1月17日と18日に、ミャンマーを国賓訪問しているのです。帰国するや、19日から21日までは、雲南省の「貧困を撲滅した農村」を視察しています。

20日の『新聞聯播』（夜7時のCCTVのメインニュース）を見ていたら、雲南省の寒村で、「総書記のおかげで収入が増えました」と喜ぶ村民たちを前に、習総書記は「今年は中華民族が最高に幸せな春節を迎えられる」と、自信に満ちた表情で演説していました。

新型コロナウイルスの深刻な状況を把握し、強い指示を出していたのであれば、こうした状況は考えられないでしょう。

CCTV（中国中央広播電視総台）の「貧困撲滅に喜ぶ農民を前にした習総書記」の映像を見ていて、私は1950年代末の毛沢東主席を思い起こしました。「15年以内に英米の鉄鋼生産に追いつく」として進めた大躍進運動が失敗し、約5000万人が餓死したとも言われます。いわゆる三年飢饉（ききん）ですが、周囲の幹部たちは初期の頃、毛沢東主席に「今年も豊作でございます」と報告していたのです。

なぜ中国では、「裸の王様」の寓話のようなことが起こってしまうのでしょう。それは、14億中国人民に強要されている「習近平新時代の中国の特色ある社会主義思想」では、「党中央（習近平総書記）だけに従うこと」を説いているからです。

前述のように、習近平政権の統治システムは、中国伝統の皇帝政治と大同小異です。中国では「一つの山に二頭の虎は容認されない」（一山不容二虎）という言い方をしますが、皇帝が二人いては混乱が起こるので、全国民が一人の皇帝のみにひれ伏すことを求めました。そのため習総書記の周囲にいる幹部たちは、ひたすら習総書記の顔色だけを見て仕事しており、習総書記が喜ぶことのみ報告する傾向があるのです。

なぜなら皇帝様を喜ばせたら、自分がさらに出世できるからです。逆に万一、怒らせでもしたら、自分の出世が止まるどころか、監獄に入れられてしまうかもしれません。何せ習近平政権は、最初の5年で153万7000人もの幹部を失脚させたのです。

この辺りの感覚というのは、民主国家に暮らす日本人には、なかなか分かりにくいものです。あえてたとえるなら、ワンマン経営のオーナー会社の取締役会のようなものです。取締役たちが、ひたすらオーナー社長に平身低頭する光景に似ています。

そのような状況下では、武漢で新型コロナウイルスが蔓延していても、幹部たちは習総書記に報告することを躊躇（ちゅうちょ）します。実際には、武漢市や湖北省から中央政府に報告は上がっていたのでしょうが、「いま武漢で未曾有の感染爆発が起こっています」と報告する役回りは、誰も引き受けたくありません。しかも時は春節の直前で、すでに正月気分です。

「裁定」を頼まれた83歳の感染症の権威

２０１９年12月31日、武漢市中心医院の李文亮（りぶんりょう）医師ら地元の８人の医師たちが、正体不明の危険なウイルスが市内に蔓延し始めていることを、ＷｅＣｈａｔ（ウィーチャット）（微信＝中国版ＬＩＮＥ）で拡散させ、警鐘を鳴らしました。すると１月３日、公安局が飛んできて、「デマを流した」として、訓戒処分を下します。

結局、李氏も新型コロナウイルスに感染し、２月６日に34歳の若さで死亡してしまいました。夫人が公開した李氏の遺書を読むと、涙が溢れてなりません（遺書全文は拙著『アジア燃ゆ』（ＭｄＮ新書）に掲載しています）。６月に夫人が息子を出産した際には、生まれてきた子供の父親は、もうこの世にいなかったのです。

そうこうしているうちに、武漢での事態は悪化し、新型コロナウイルスは手が付けられないほど広がっていきました。

そんな時、中国が取るお決まりの手段があります。それは、誰も文句が言えないような「権威」に頼るのです。この時は、当時御年83歳の鐘南山（しょうなんざん）・広州呼吸疾病研究所長（院士）でした。２００３年にＳＡＲＳを鎮圧してヒーローになった中国の感染症の権威です。

馬暁偉（ばぎょうい）・国家衛生健康委員会主任（厚労相に相当）は、１月18日午後１時半頃、広州に住む旧知の鐘南山院士に緊急電話をかけ、「今日中に武漢へ行ってほしい」と要請します（以下の記述は3月26日付『羊城晩報』などによる）。鐘院士は、秘書一人だけを連れて、広州南駅から高速鉄道に飛び乗ります。春節前で鉄道チケットはすべて売り切れでしたが、国家衛生健康委員会が中国国家鉄路集団を説き伏せて、2枚用意させました。

鐘院士が武漢西駅に着いたのが、夜の10時過ぎ。車で武漢会議センターに直行し、先に現地入りしていた国家衛生健康委員会のチームから、深夜まで状況の説明を受けました。

翌19日朝9時、武漢会議センターに、武漢市の感染症の主な専門家たちが集合し、再度鐘院士に説明。それから一行は、新型コロナウイルスの患者たちが殺到している武漢市金銀潭医院と武漢市疾病コントロールセンターを視察します。

視察から戻ると、夕方5時まで検討会。終了後、鐘南山院士は武漢天河空港に直行し、北京に飛びます。北京では、深夜11時から1時半まで、馬主任らと対策会議を開きました。

20日は、朝6時から報告書の整理。7時半に北京の専門家たちと車に相乗りして、国務院に向かいます。国務院で李克強（りこくきょう）首相に面会し、報告するためです。

「SARSよりはるかに恐ろしい、人類が経験したことのない新型の疫病が武漢で蔓延（まんえん）しています。直ちに武漢を都市封鎖しないと大変なことになります。かつ1000人規模の患者を収容できる専用病院の建設が急務です」

報告を受けた後、李首相が鐘院士のもとに擦り寄って行き、握手を求めた姿を、後にC

CTVのニュースで見ました。

「感染症の権威」からおどろおどろしい報告を受けた李首相は、そこで初めて、雲南省を視察中の習近平総書記に緊急電話を入れたものと推定されます。

こうして1月23日午前2時、「本日午前10時から、武漢市を『封城』（都市封鎖）する」という緊急通知が発表されました。春節を2日後に控えた900万武漢市民はパニック状態に陥りましたが、以後4月8日まで76日間にわたって、都市封鎖が続いたのです。

社会主義の「スピードと強制力」

武漢封鎖――これはある意味、社会主義国ならではの非情で残酷な措置でした。なぜなら最悪の場合、封鎖された900万人を死亡させて、残りの14億人の国民が生き残ろうという非常手段だからです。

私がこの緊急ニュースを見て思い起こしたのは、1989年の天安門事件でした。当時のエリート学生たちが政治の民主化を要求し、中国当局が人民解放軍の戦車部隊を天安門広場に突入させて鎮圧した流血事件です。

この時、共産党幹部（一説には鄧小平中央軍事委主席）が嘯いたという話が、まことしやかに伝わりました。

「天安門広場を100万人の若者が占拠しているというが、たとえ犠牲になったとしても、総人口の0・1％にすぎないではないか」

同様に武漢の900万人も、14億の中の「わずか0・6％にすぎない」のです。

ともあれ、前述の「コロナ白書」が区分した第1段階の1月19日までは、白書が自賛する「突発的な疫病への迅速な対応」どころか、「無作為と隠蔽の日々」だったと言えます。

しかし1月20日以降は、社会主義体制の特長である「スピードと強制力」をいかんなく発揮します。中国の幹部たちは、習近平総書記が「自ら指令し、配置する」と宣言して、初めて真剣になったのです。

武漢市の郊外に、わずか10日間のうちに「火神山医院」（収容者1000人）と「雷神山医院」（収容者1500人）を建設してしまいました。これらは人民解放軍が野戦病院として建設しました。同時に、封鎖した900万武漢市民に外出禁止令を出します。スーパーなどへ買い出しのため外出してよいのは、一家で「3日に一人」とし、各地区のマンション入り口などで厳格にチェックしました。

決め手となった「健康コード」

14世紀ヨーロッパのペスト禍の時代から続く疫病鎮圧の鉄則——「検査・隔離・追跡」

のうち、中国の徹底した検査については前述の通りですが、隔離と追跡に関して、優れものの発明品が生まれました。それが「健康コード」（健康碼（ジエンカンマー））です。

「健康コード」は、中国全土で感染爆発が起こっていた2月11日、アリババ（阿里巴巴）の本社がある浙江省杭州市で始まりました。1040万市民に、「健康コード」への登録を呼びかけたのです。

スマートフォンのアリペイ（支付宝）か、テンセント（騰訊）のウィーチャットペイ（微信支付）のアプリからインストールし、身分証番号と健康状態、履歴などを簡単に入力します。するとアプリのAIが、位置情報を始め、さまざまなデータベースの情報と照合し、その人の感染リスクを判断。「緑」「黄」「赤」の3色いずれかのQRコードが表示されるのです。

「緑」は「感染リスクなし」、「黄」は「隔離中」、「赤」は「感染リスクあり」です。隔離中の人が隔離期間を無事終えれば、「黄」は「緑」に変わります。また、「赤」が表示されたら、表示の手順に従って申告し、検査を受けねばなりません。

登録は義務ではありませんが、登録しないと市民生活に支障をきたすことになります。なぜなら、自分の住むマンションの門に始まり、地下鉄やバスに乗る時、オフィスビルや商業施設に入る時、レストランで食事する時やコンビニ、スーパーで買い物する時まで、入口に設置された読み取り機にスキャンして「緑」を確認しないと、中へ入れないからです。

杭州市で始まったこの制度は、瞬く間に浙江省全体に広がりました。早くも2月24日には、浙江省政府の会見で、省内の登録者が5000万人を突破したと発表。省民の86％が、「健康コード」開始から2週間以内に登録したのです。翌日、アリババは声明を出しました。

「2週間以内に、このシステムを全国200都市に拡大する。地下鉄、社区（各居住区域）、オフィスビル、医療機関、商業施設、スーパー、空港、駅などに読み取り機を設置していく」

3月5日、同時期に始めていたテンセントが、「健康コード」の登録者が8億人を突破したと発表しました。こうして、わずか1ヵ月のうちに、中国全土に普及していったのです。5月3日からは、マカオ特別行政区でも、同様のシステムが始まりました。

北京の友人は当初、「まるで自分の身体に信号機を付けられたみたいだ」とこぼしていましたが、そのうち「『健康コード』に中国は救われた」と擁護（ようご）するようになりました。

「健康コード」の効用は、経済復興にも表れました。中国は2月中旬に春節の大型連休が明けると、政府が「復工復産」（仕事と生産の復活）のキャンペーンを始めます。

この時、最も懸念されたのが、生産現場の工場でクラスターが起こることでした。そのため中国全土の各工場は、すべての従業員に「健康コード」の表示を義務づけたのです。

例えば、従業員5000人の自動車工場があるとすると、工場の入口に読み取り機を置き、「緑」の人しか中に入れません。そして万一、従業員の誰かに「赤」が出て、その後、陽性反応が出たら、工場の全員がPCR検査を行うのです。

中国の経済復興は、まさに「健康コード」と一体であったことが分かります。小池百合子都知事が強調した「三密を避けましょう」「5つの小を守りましょう」といった「かけ声」ではなく、科学だったのです。

中国がコロナ退治の模範国に

「コロナ白書」で区分された第4段階「武漢保衛戦、湖北保衛戦の決定的成果の獲得」（3月18日〜4月28日）にあたる4月8日、ついに武漢の封鎖が、76日ぶりに解除されました。「2週間、一人の新規感染者も出さない」という武漢市政府が定めていた解除の条件を満たしたからです。

深夜0時に封鎖が解かれると、武漢市民はイルミネーションで解放を祝いました。朝になると、武漢市の外へ向かう鉄道駅や高速道路に、人々が殺到しました。武漢は「アニメ都市」を目指していて、北の大連と並んで親日的な風土ですが、私も武漢の知人たちに祝福のメッセージを送りました。

この頃には、新型コロナウイルスの「主戦場」は、欧米や日本などの先進国に移っていました。日本では、武漢と入れ替わるように、4月7日から七都府県への緊急事態宣言が始まりました。

一方の中国は、世界にマスクを支援する「マスク外交」を開始しました。半年後の10月20日までに、150ヵ国と7つの国際機関に向けて計1790億枚のマスク、17・3億着の防護服、5・43億人分の検査キットを援助したと発表しています。

第5段階「全国の疫病防止の常態化の段階」(4月29日〜)になると、中国では「新型コロナは外国の疫病」という状況になりました。元来、中国人は熱しやすく冷めやすいところがありますが、GWの連休には「短近安」(短期間で近場で安い)を合い言葉に、国内旅行ブームが起こりました。一番人気は「中国のハワイ」こと海南島でした。以後、前年まで年間延べ1・5億人も海外へ出かけ「爆買い」していた中国人が、海外旅行に行けず国内で「爆買い」するという内需拡大が起こり、中国経済はV字回復していきます。

私が驚いたのは、5月18日、19日に開かれた第73回WHO(世界保健機関)総会でした。初めてのオンライン開催となりましたが、初日の冒頭に、習近平主席の「団結、協力してウイルスに打ち勝ち、共同で人類衛生健康共同体を構築する」と題した15分ほどの演説が流れたのです。

WHO総会で一番関心を呼んだのは、「中国寄り」と言われるテドロス・アダノム事務局長が、台湾の参加を許可するかどうかでした。台湾は、後述するように「コロナ退治」に最も成功していて、かつ2019年12月31日、世界に先駆けてWHOに「武漢で原因不明のパンデミックが発生している」と警鐘を鳴らしていました。そんな台湾は、2016年以降、反中的な蔡英文政権が発足したことで、中国によってWHO総会参加の道を絶たれているのです。

2020年の総会に、台湾は米欧日の後押しを得て参加しようとしましたが、中国の厚い壁に阻(はば)まれてしまいました。かつ総会初日の冒頭、いきなり習近平総書記の野太い中国語の演説が飛び出したのですから、私だけでなく世界が仰天したことでしょう。トランプ大統領は「WHOは中国に乗っ取られた」と怒りを露わにし、脱退を宣言しました。

習近平演説では、中国が感染源となったことに対する謝罪の言葉などは、一切ありませんでした。むしろ、中国がコロナ対策で世界に貢献していることを力説し、習総書記の持論である「人類衛生健康共同体論」をぶったのです。「世界に施す戦勝国」の役回りです。

こうしてWHO総会を終えると、中国は5月22日から28日まで、全国人民代表大会(年に一度の国会)を北京の人民大会堂で開催しました。本来なら3月5日に開幕する予定でしたが、コロナ禍で延期したのです。

全国人民代表大会で習近平政権が強調したのは、「中国はコロナ退治の戦勝国である」ことと、「これからは『復工復産』に力を入れていく」ということでした。実際、中国は2020年第1四半期の経済成長率がマイナス6・8％と、1978年の改革開放政策以降、前代未聞のマイナス成長を記録しましたが、第2四半期が3・2％、第3四半期が4・9％とV字回復していきます。

結局、2020年12月10日現在、人口14億人の中国の感染者数は9万4736人で、死亡者数は4755人。人口3億3000万人のアメリカの感染者数は1538万6562人で、死亡者数は28万9373人。スピードと強制力のある社会主義は危機に強いことが分かります。

「台湾の奇跡」を生んだ3つのキーワード

前述のように、新型コロナウイルスは世界のあらゆる国と地域に、「平等に」蔓延していきました。そんな中で、圧倒的にコロナ対策に成功したのが台湾でした。世界中が「台湾の奇跡」と絶賛し、2020年8月には、アメリカのアレックス・アザー厚生長官が「台湾の奇跡に学ぶ」として、中国の反対にもめげず訪台したほどです。

台湾は九州と同じくらいの面積の島で、人口は2360万人。日本の人口の約5分の1

（19％）です。それが、２０２０年12月10日現在での新型コロナウイルスの感染者数は７２４人で、死亡者数は７人。同時期の日本は、感染者数が17万３０５４人で、死亡者数は２５１２人。台湾の感染者数は日本の０・４２％、死亡者数は０・２８％にすぎません。ちなみに12月10日の感染者数は、日本が２９６１人で台湾は４人（インドネシア人１人とフィリピン人３人の入国者）。まさに、日本とはケタ違いの感染防止を実現していることが分かります。何せ台湾では、新型コロナウイルスの感染者数よりも交通事故の死者数の方が、２倍以上も多いのです。

台湾には、「台商（タイシャン）」と呼ばれる中国大陸在住のビジネスパーソンが約80万人もいて、中台関係が悪化しているとはいえ、中国との往来は盛んです。本来なら中国に準じる数の感染者が出ていてもおかしくありません。

それなのに、なぜこれほど少ないのでしょうか。台湾は日本と同じ「島国」であり、「台湾模式」（台湾モデル）は日本の今後の防疫の参考になると思います。

私は、「台湾の奇跡」を成功させたポイントは、「反中」「初動」「適材適所」という３つのキーワードにあると見ています。まず「反中」について述べます。

蔡英文総統は、２０２０年１月11日の総統選挙で、台湾憲政史上最高得票数となる８１７万２３１票も獲得し、再選を果たしました。私はこの時、１週間近く台北で総統選挙の取材をしましたが、蔡英文総統が再選を果たした最大の要因は、ぶれない反中政策でした。簡単に言えば、2360万台湾人は、「近未来の台湾が香港のようになってしまうのは嫌だ」と思ったわけです。「香港のように」というのは、第1章で示したように、2019年6月以降続いた香港での大規模デモに対する厳しい締めつけのことで、その1年後には、事実上「一国二制度」の終焉(しゅうえん)を告げる香港国家安全維持法が施行されました。

蔡英文総統にとっての新型コロナウイルス対策は、こうした反中政策の延長線上にあったのです。そのため2月初旬の段階で、まだ春節の大型連休中であるにもかかわらず、中国大陸からの航空便をストップしました。台湾には、中国大陸出身で台湾人男性に嫁(とつ)いだ「大陸(タールー)新娘(シンニャン)」も大勢いますが、水際対策を優先したのです。

「台湾の奇跡」を導いた蔡英文総統
(写真：ロイター/アフロ)

また蔡英文政権では、「新型コロナウイルス」とか「COVID-19」などという呼称は使わず、始めから現在まで一貫して「武漢肺炎」と呼んでいます。「中国の武漢が発生源であるウイルス」

であることを周知徹底させるためです。民進党幹部は私にこうも言いました。

「台湾では、中国人民解放軍がいつの日か、台湾に細菌兵器をばらまくことも想定している。つまり『武漢肺炎』との戦いは、中国大陸との戦争でもあるのだ」

たしかに「指揮官」という肩書きで最前線に立つ陳時中・衛生福利部長は、戦時の軍隊の司令官のようです。単なる「ウイルスとの戦い」と考える日本、「中国との細菌戦争」と捉える台湾――政府の対応と国民の反応の真剣さに、彼我の差が出たと言えます。

台湾は大晦日にすべて動き終えていた

「台湾の奇跡」の第二は、「初動」の早さです。

まだ世界の誰も新型コロナウイルスなど知らない２０１９年大晦日の午前、台湾衛生福利部傘下の疾病管制署は、武漢で「重大な異変」が起こっていることに気づきました。そこですぐに、周志浩署長が「調査報告書」を陳時中衛生福利部長に上げ、陳部長から蘇貞昌行政院長（首相に相当）と陳其邁副院長（現・高雄市長）に報告。蘇院長から蔡英文総統と陳建仁副総統に報告されました。そして同日午後には早くも、この件で緊急の関係閣僚会議を開いたのです。

関係閣僚会議が終わった夜、疾病管制署の周志浩署長、羅一鈞副署長、荘人祥副署長のトップ3が揃って、緊急記者会見を開きました。周署長は険しい表情で、こう述べています。

「中国の武漢市で、数名の肺炎の病例が出ている。SARSに似ていて、市民を恐怖に陥れている。疾病管制署として本日午前中に、（北京の）中国疾病コントロールセンターと（ジュネーブの）WHOに対して情報提供を行った。中国側からは夕方、回答があり、すでに専門家グループを武漢に派遣し、病原の検測と感染原因の調査を始めている。引き続き随時、台湾に報告するとのことだった。

疾病管制署は直ちに、武漢から（台湾へ）の直行便（毎週12便）に対して、機内での検疫を行うことや、乗客の10日間の経過観察を指示した」

このように皮肉なことに、世界で一番先に新型コロナウイルスについてWHOに報告を上げたのは、中国の妨害によってWHOに参加させてもらえない台湾だったのです。

2020年が明けると、衛生福利部（疾病管制署）の措置は加速していきます。1月初旬の主な動きを列挙します。

2日　衛生福利部が伝染病防止専門家諮問会議を開催し、武漢からの肺炎患者の通報強化と医療スタッフの感染防止徹底を決める。

3日　対策会議を行い、武漢から帰国後10日以内に呼吸器に症状が出た人が直ちに専門病院に行けるようにし、TOCC（渡航歴・職業・接触歴・三密状況）の徹底チェックを確認。
5日　陳部長が専門家諮問会議を招集し、武漢便の乗員に14日間の経過観察を指示。12月31日から始めた武漢発の飛行機内の検疫で、747人の乗員を検査し、8人から軽微な症状が出たと発表。以後、毎日、検査人数と症状のあった人数を公表。
6日　武漢および近郊に居住する台湾人に注意を喚起。5日までに武漢で59人の患者（うち7人が重症者）が発生していることを通知。陳其邁副院長が関係者会議を招集。
7日　武漢発のウイルスの危険度を一級に引き上げ。
8日　空港だけでなく港湾でも武漢発のウイルスの厳重警戒態勢を開始。
10日　これまでに検査した1819人中、3人の武漢肺炎患者を発見したと発表。

このように、衛生福利部（疾病管制署）の職員たちが年末年始も返上して、使命感を持って仕事に当たっていた足跡が伝わってきます。ちなみに、日本の厚生労働省も1月6日に、「中華人民共和国湖北省武漢市における原因不明肺炎の発生について」と題したペーパーを発表していますが、単に渡航者への注意喚起にすぎません。初動の段階から、日台間には雲泥の差があったのです。

台湾では、新型コロナウイルスの特別条例も、早くも2月25日に立法会（国会）で成立させています。医療従事者への助成、感染者や隔離指定者の各種権利の保障、経営困難に陥った各種業界・店舗などへの補償といったものです。

興味深いのは、国民の権利だけでなく義務も定めていることで、罰則規定も含まれているのです。防疫物資の高値転売は、5年以下の懲役またはこれに500万台湾ドル（約1850万円）以下の罰金併科。コロナ情報のデマ拡散は、3年以下の懲役またはこれに300万台湾ドル（約1110万円）の罰金併科。隔離措置への違反は、20万～100万台湾ドル（約74万～370万円）の罰金。検疫措置への違反は、10万～100万台湾ドル（約37万～370万円）の罰金です。

台北在住の友人に聞くと、こう話していました。

「息子が通う学校の校長が隔離措置違反で捕まり、100万台湾ドルの罰金を科されました。一日2回の電話確認の際、『どこへも外出していない』と答えていましたが、実際は外出していたことが、スマホの位置情報アプリなどから明らかになったのです」

副総統も副行政院長も疫病対策の専門家

第三は、「適材適所」です。蔡英文総統は、幹部にウイルスの専門家を起用してきました。

前出の民進党幹部によれば、「蔡英文総統が政権発足時に恐れた台湾の重大危機が３つあった」そうです。それは中国、地震、そしてウイルスです。

中国に関しては、自分が一番の専門家だという自負があります。しかし地震とウイルスは専門外なので、信頼できる専門家を側近に置こうとしたというのです。

直近では、１９９９年に台湾大地震が、２００３年にＳＡＲＳが起こっています。台湾大地震では２４１７人が犠牲になり、中国広東省発のＳＡＲＳが台湾に侵入した際には、３４６人の感染者と72人の死者を出しました。それらの時、勇名を馳せた人々を積極的に登用したのです。

まず、自分のパートナーとなる副総統に、疫病の専門家である陳建仁・元衛生福利部長を抜擢し、「蔡＆陳」のペアで総統選挙に出馬しました。陳氏は２０１５年当時、中央研究院副院長という「定年待ちのポスト」にいて、あまりに地味なので民進党内部でも物議を醸しました。しかし蔡氏は、２００３年に衛生福利部長としてＳＡＲＳ対応に采配を振った陳氏の手腕を高く評価しており、周囲の反対を押し切って指名したのです。

実際、「疫病のプロ」である陳副総統は、その温厚な人柄もあいまって、新型コロナウイルス対応で、「実戦部隊」である衛生福利部の心強い「後見人」となりました。「疫病の素人」である蔡総統は、陳副総統のアドバイスに全面的に従って指示を出したのです。

２０２０年５月20日に陳副総統は退任し、総統府を去るニュース映像を見ましたが、蔡総統が陳氏と夫人に対して、何度もねぎらいの言葉をかけていたのが印象的でした。ちなみに、蔡総統が陳副総統の後継者に任命した現任の頼清徳副総統もまた、台湾大学医学部を卒業して米ハーバード大学で公衆衛生学修士を取った衛生学の専門医でした。

行政院（内閣）でも、蘇貞昌院長（首相）こそ叩き上げの政治家ですが、ナンバー２の陳其邁副院長（副首相）は、中山医科大を出て台湾大学公共衛生研究所の研究医をしていました。陳副院長は２０２０年８月、台湾南部の副都・高雄の市長に転身しました。

台湾人を心酔させた「鉄人」大臣

台湾では２０２０年１月20日、新型コロナウイルス対策の中央流行疫情指揮センターを設置しました。このセンターのトップである「指揮官」を務めたのが陳時中・衛生福利部長で、以後、獅子奮迅の活躍を見せます。陳氏はもともと台北市の歯医者で、政治家でもありませんでしたが、責任感と危機対応能力が大変優れているということで、やはり蔡総統が衛生福利部長に抜擢したのです。

陳部長は１月20日以降、台湾時間で毎日午後２時に、記者会見を行いました。その際、「有求有応」（求めがあれば応じる）を旨としていて、最後の記者が最後の質問を終えるまで真摯（しんし）に回答し、席を立ちません。

ある日、会見が終わったのが夜の10時過ぎになりました。記者もヘトヘトになって帰って行きましたが、陳部長はその足で、何と深夜の空港視察に向かったのです。現場の検疫状況の報告を受け、指示を与え、空港を出たのは深夜12時過ぎ。その日以降、「鉄人」のニックネームで呼ばれるようになりました。3月26日にＴＶＢＳが発表した陳部長の支持率は、91％に上りました。

毎日午後2時になると台湾のテレビ局は、陳部長の記者会見を生中継しましたが、視聴率はうなぎ上りです。それは、台湾人が新型コロナウイルスの最新情報を知りたいということもありますが、もう一つは、まるで哲学者のような陳部長の含蓄（がんちく）ある言葉に感銘を受けるからです。「定心丸（ディンシンワン）」（安心させてくれる人）という別名も付き、「この人が指揮を執る政府がやっていることなら信頼できる」という気持ちを、２３６０万台湾人が抱くようになっていったのです。

台湾メディアは、「陳時中名言集」をネット上に数多くアップしていますが、いくつかピックアップしてみます。

「国籍を選んだからには自己責任だ」（2月12日、武漢からの台湾政府の帰国チャーター便に、中

国籍を台湾籍に変えていない妻らを同乗させることを拒否したことを詰問されて）

「病気になったりウイルスに罹ったり、隔離されたりしたい人などいないんだ」（2月13日、感染者への差別意識が世間にあることを問われて）

「感染者だって人間だ。ブタではない。肉の塊ではないのだ」（2月15日、柯文哲台北市長が「感染者に位置情報の足環を付けるべきだ」と発言したことを問われて）

「われわれの敵は人間ではなく、ウイルスなのだ。皆が協力し合えば成功するし、対立すれば失敗する」（2月24日、28人の感染者の居場所を公表すべきではないかと問われて）

「未知のものと対面しているのだから、予測は不可能で、したがって恐れることなどない」（3月2日、「ウイルスを恐れているか」と問われて）

「私だけが疲れているのではない。ある看護師と記念写真を撮ったら、顔中にN95マスクの痕跡が付いていた。私はそれを見て言った。『これは歴史に残る痕跡だ！』」（3月11日、武漢からのチャーター便帰国で、26時間一睡もしていないことを問われて）

「記者というのは好奇心の塊なんだよ。私だって歯医者をやっていて、患者の口を開けた途端、どこに虫歯があるかと好奇心の塊になる」（3月26日、日本人記者が物見遊山で台湾入りして「台湾隔離日記」を発表。非難囂々となっていることを問われ、日本人記者を弁護）

「私がたまに気分を害して語る時は、弟が語っているんだ。弟に代わって皆さんにお詫び申し上げる」（4月1日、最大手紙『自由時報』がエイプリルフールの記事として、「鉄人大臣は実は双子の兄弟で、激務を半分ずつこなしている」とジョークの報道をしたことを問われて）

「IQ180のIT大臣」が私に吐露した秘訣

もう一人、「台湾の奇跡」を演出したのが、「IQ180のIT大臣」こと唐鳳（オードリー・タン）IT担当政務委員（無任所大臣）です。彼女は政務委員として、「3つの初めて」を実現したと言われる異色の経歴の持ち主です。

第一に、最終学歴が「小卒」なことです。1981年に記者の両親の子供として台北に生まれた唐氏は、14歳の中学生の時、どうしても学校教育に馴染めず、学業を放棄してしまったのです。その代わり、コンピューターのプログラミングに天才的な能力を発揮し、シリコンバレーに渡ってアップル社など名だたる会社の顧問になりました。

第二に、トランスジェンダーであることです。身長が180cmあり、もとは唐宗漢という男性でしたが、女性への性別適合手術を受けました。

第三に、2016年8月、35歳という史上最年少で、蔡英文政権の政務委員となったことです。日本でも2020年9月に菅政権が発足した際、デジタル庁を設置するとして、「永田町のITオタク」こと62歳の平井卓也議員がIT大臣に任命されて話題を呼びましたが、台湾ではその4年前に30代の若者を指名していたわけです。

唐氏を初代IT大臣に抜擢した理由について、前出の民進党幹部はこう述べました。

「唐氏を蔡総統に推薦したのは、当時の林全（りんぜん）行政院長だった。唐氏はインターネットについて、持論があった。それは『21世紀におけるインターネットの役割は、中国のように国家が国民を監視する道具ではなく、逆に市民が政府をチェックする道具であるべきだ』というものだ。この言葉に蔡総統が感銘を受け、思い切って抜擢を決めた。

唐氏からの要望は、『自分には厳（おごそ）かな政務委員室など要らないから、様々なアイデアを持ったIT企業家らが自由に出入りできるスペースで執務させてほしい』というものだった」

2020年に入って、新型コロナウイルスが中国と世界で猛威を振るい始めると、唐政務委員は八面六臂（はちめんろっぴ）の活躍を見せます。まず、市民に発熱などの症状が出た場合、近所のどこの病院へ行けばよいか、そして個々の病院にはいま何室、病床の空きがあるかを、スマホで「見える化」しました。

また、マスク不足が深刻化してくると、どこの薬局にいまどれだけマスクの在庫があるかを「見える化」。それでも在庫不足が進むと、今度は「マスク配給制」にして、国民一人当たり週に3枚のマスクを買えるシステムを整えたのです。マスクの受け取りは、コンビニなどでも可能にしました。

こうして3月中にマスク問題を解決したため、4月1日に蔡英文総統は「今後、医療用マスク1000万枚を世界に寄贈する」と表明しました。いわゆる「護台湾、助世界」運動です。図らずもこの日は、安倍首相が「全家庭に2枚のマスクを送付する」と発表した日でもありましたが、アベノマスクが大混乱に陥ったのは、前述の通りです。

また、日本の「Go To トラベル」「Go To イート」などにあたる旅行補助プランや地域振興商品券も、台湾では3月4日の時点で沈栄津（ちんえいしん）経済部長（経済大臣）が発表しており、このシステム作りを行ったのも唐政務委員です。地域振興商品券は「振興三倍券」と名づけられ、7月15日に始まりました。

台湾の恐れ入ったところは、「振興三倍券」のシステムが、更新されていくことです。「こういう点を改善してほしい」「こうしたらもっと使いやすくなる」といった市民の意見を常にSNSなどで受けつけ、それらを唐政務委員のグループが即座に検討し、システムを改善していくのです。

私は7月に、スカイプを通じて唐政務委員に直接話を聞く機会があったので、改めて中国政府と台湾政府のインターネットに対する考え方の違いについて聞きました。すると唐政務委員は、こう答えました。

「いまの中国には、全体主義的な傾向が強まっていて、新疆ウイグル自治区などは徹底した管理の典型です。そしてその政策に、インターネットを活用しているわけです。

しかし台湾では、インターネットを中心とした先端技術は、民主をバージョンアップさせるために使います。政府としては、あくまでも民主や人権といったものを貫きます。プライベートセクターを重視し、全体主義的なことは極力減らしていきます。今年の新型コロナウイルスへの対応についても、あくまでも『市民にいかに役立つか』という観点から進めてきました」

「K防疫」も日本より進んでいた

おしまいに、韓国の新型コロナウイルス対策について見ていきます。いわゆる「K防疫」（KはＫｏｒｅａの頭文字）です。

韓国では、２０１５年５月から12月までＭＥＲＳ（中東呼吸器症候群）が流行し、１８６人が感染して38人が死亡しました。この時の失敗が、韓国の感染症対策の原点になっています。このあたりは、台湾が２００３年のＳＡＲＳを教訓にしたのと似ています。

ＭＥＲＳが流行したのは、いまの文在寅大統領が敵視する前任者の朴槿恵大統領の時代でした。文政権は、ＭＥＲＳ対策の失敗は、朴政権が感染者の入院先などの情報を、「プライバシー保護」の理由から公開しなかったことが原因だったと結論づけました。そこで、新型コロナウイルス感染者の移動経路、移動手段、治療医療機関、濃厚接触者などを把握し、公開することにしたのです。

感染者の調査を行う際、申告に虚偽記載があった場合、1000万ウォン（約100万円）以下の罰金を科すことにしました。各病院には、新型コロナウイルスの患者に対応できる隔離病棟や集中治療室を確保させ、感染が疑われる人が一般の病院を受診するのを控えるようガイドラインを作成。そして、急ぎ4種類の診断キットを開発しました。日本では当初、「37・5度以上の熱が4日以上続く場合は受診」などとしていましたが、韓国は病院自体を分別したわけです。

また、対策はスピードが大事ということで、朴凌厚保健福祉部長官（厚労大臣に相当）に、一時的に強大な権限を委譲し、朴長官の一存で多くのことが決裁できるようにしました。例えば、新型コロナウイルスを法定伝染病に指定することなどです。

こうした措置を講じた背景には、2020年2月に、大邱に本部を持つ「新天地イエス教会」の関連で、5213人もの集団感染を出したことがありました。文在寅政権としては、感染を食い止めないと、4月15日の総選挙で敗北してしまいます。そこで1日2万5000人という日本の10倍規模のPCR検査を行い、必死に感染拡大を食い止めました。

どうしたらPCR検査の数を増やし、かつ検査する側の感染も防げ、防護服などの無駄も省けるかということを考えた先に行き着いたのが、後に世界が模倣した「ドライブスルー方式」でした。マクドナルドのドライブスルーにヒントを得たものです。

マイカーに乗ったまま、一人当たりわずか3分で問診と検体採取が受けられます。検査する側の感染率も激減しました。こうした臨時のドライブスルー診療所を、全国に70ヵ所以上作り、PCR検査を大量に行うことで、感染拡大を防いだのです。

もう一つ、公衆電話ボックスにヒントを得たのが、「ウォーキングスルー方式」でした。医師と患者を分離したボックスを、隣り合わせて二つ設置し、ソーシャルディスタンスを取りながら診察するものです。医師が患者の検体を採取する際も、防護用手袋を付けて患者側のボックスに手を伸ばして行います。

実際にどんなものなのか、友人のソウル在住の金敬哲記者に体験談を聞きました。

「保健所の敷地内にコンテナボックスの『ウォーキングスルー保健所』があり、入り口で防護服を着た案内員から、ビニール手袋や番号札をもらいます。訪問の理由を尋ねられ、『〇〇教会信徒』（注：この教会で4日前に患者が出ていた）と答え、問診票を受け取りました。書類には『無症状者』とチェックされていました。

ビニール手袋をはめたまま、問診票を作成。氏名、性別、住民登録番号（マイナンバー）、住所などを記入し、確認事項では、『集団感染』にチェックして教会名と礼拝時間を記しました。問診票記入を終えると、検査員が体温を測ります。小窓から検査員に問診票を渡すと、検査キットと2本の綿棒を渡されました。

電話ボックスのような小部屋が並んだ検査コーナーでは、防護服を着た検査員がボックスから手だけ外に出します。検査員に指示されるまま、キットのふたを開けて、キットと綿棒を検査員の手に握らせました。

『マスクを下げて口を大きく開けてください。「あー」と声を出してください。のどから採取します。次は鼻の中から採取します。少し痛みますが我慢してください。5秒間口で息をしてください。1、2、3、4、5！　はい、終わりました』

検査員から綿棒を入れたキットを渡され、キットのふたを閉じ、クーラーボックスに入れて外へ出ました」

このように、韓国が「K防疫」の代表的なコンテンツと自負する「ウォーキングスルー方式」のPCR検査は、わずか20分ほどで終了したそうです。韓国では、市民が普通に「ウォーキングスルー方式」でPCR検査を行っているのです。

コロナ対応は「二つの矛盾」との戦い

韓国では、新型コロナウイルスの感染者を、軽症、中等度、重症、最重症の4種類に分類しています。このうち軽症者は、「生活治療センター」に隔離されます。

生活治療センターは、3月2日に大邱中央教育研究院に最初に設置され、以後全国29ヵ所に広がっていきました。大邱に設置後100日で、計4915人を収容し、うち80・5%にあたる3955人が完治し、隔離解除されました。

また、感染者との濃厚接触が疑われた人は、2週間の自主隔離が義務づけられます。その場合、自主隔離アプリをスマホにダウンロードし、毎日2回ずつ、アプリを通して体温や健康状態を報告します。自主隔離中の人は、ゴミもオレンジ色の指定されたゴミ袋に入れて捨てねばなりません。

この専用のゴミ袋や消毒薬などは、係員が自宅に届けてくれます。その際、当面の生活費として、10万ウォン（約1万円）を渡されます。自主隔離が終わると、それぞれの生活に応じた補償金が政府から支払われます。私の友人で自主隔離した人がいましたが、彼は3人家族で、105万ウォン（約10・5万円）を支給されたそうです。

こうした結果、韓国の感染者数は12月10日現在、4万98人で、死者は564人。韓国の総人口は日本の約4割ですが、感染者数は日本の23%、死者も22%に抑えています。

東アジア各国・地域のコロナ対策を見ていると、どこも「二つの矛盾」の克服に苦心していることが分かります。一つ目は、コロナ封じ込めと経済復興の矛盾です。封じ込めを強めると経済が悪化していき、逆に封じ込めを弱めるとコロナの波が再発します。つまりブレーキにあたる封じ込めと、アクセルにあたる経済復興が、二律背反の関係にあるわけです。

そうした中、各国・地域がどう対応したかと言えば、初期の段階では徹底して封じ込めを優先させました。それである程度、効果が上がってきた段階で、経済復興に舵を切り替えたのです。ただし、日本だけは政策が曖昧で、右往左往していました。

もう一つの矛盾は、政府による個人情報統制とプライバシーの尊重という二律背反です。これは、スマホ決済を普及させる際の、便利さを優先させるか個人のプライバシーを優先させるかという議論と似ています。スマホ決済を普及させていけば、個人がいつどこで何を買ったかというビッグデータが吸い上げられていくからです。

この矛盾に関して、東アジア各国・地域は、コロナ対策として政府が個人情報を管理・統制することを優先させました。極論すれば、「プライバシーを明け渡して健康を守ること」と、「健康でなくなってプライバシーを守ること」を比較すれば、誰しも前者を選ぶだろうという論理です。

しかし、ここでも日本は例外でした。日本はそもそも、マイナンバーカードの普及率が、2020年9月時点で20・2％しかありません。政府が国民の2割しか把握していないのです。これはアジアの人々が日本について仰天することの一つです。私は2015年にこの制度が開始されてすぐに取得しましたが、周囲から「変人扱い」されました。典型的な「日本の常識は世界の非常識」です。窮余の策として菅首相は、2024年度末に運転免許証と一体化するとしました。

日本では、いまだにスマホ決済も進んでいないので、スマホを使ったコロナ対策も遅れています。厚生労働省は2020年6月19日から新型コロナウイルス接触確認アプリ「COCOA」を始めましたが、12月11日現在の登録者数は2148万人で、国民の約17％にすぎません。「Go To キャンペーン」が広く普及したのと対照的です。在日中国人たちは自国の「健康コード」と較べて「オモチャみたいな代物」と評しています。

危機管理能力という観点からも、日本の将来が危ぶまれます。日本は1945年の敗戦以降、76年にわたって平和を享受し、また平和国家を自負してきました。

それは大変誇るべきことですが、「平和ボケ」が進んだというマイナスの側面もあります。環境が大きく変わりゆく21世紀に、日本がどうやって平和と安定を維持していくかという議論を、新型コロナウイルスを機に積極的に行う時期に来ていると思います。

第３章　韓国と台湾を見ると5年後の日本が分かる

鳩山民主党政権を先取りしていた韓国と台湾

明治時代に「脱亜入欧」が国策になって以降、日本人は約一世紀半にわたって、欧米を自分たちよりも上に見て、アジアを下に見る悪習を育んできました。そのため、日本の未来の行く末を考察する際にも、先進国の欧米社会に目を向けがちです。

ところが普段、日本周辺の東アジア情勢をウォッチしている私に言わせると、遠くの欧米社会を臨むよりも、近くの東アジア地域にこそ、日本の近未来の姿があります。特に最近の経験則として、「韓国と台湾で起こったことは、5年から10年くらいして日本でも起こる」ということが言えるのです。このことは、米中新冷戦下で日本を含めた東アジアに激震が起こることが見込まれる中、日本に貴重な示唆を与えてくれます。

韓国は人口で日本の約4割、経済規模で3分の1です。台湾は人口で日本の5分の1、経済規模で8分の1。どちらも日本と同じ自由民主の資本主義社会ですが、日本よりも規模が小さいため、様々な現象が日本より先に起こるのです。

この章では、第一に政治の潮流について、韓国と台湾が日本の「数年先」を行っていることを述べます。その上で韓国と台湾に分けて、それぞれの文化・社会・経済・外交などが日本の先を行っている事例を挙げていきます。

まず第一に、政治の流れを見てみましょう。韓国では１９４８年の建国以降、長く右派の軍事政権が続きました。１９６１年から１９７９年までの朴正熙（パクチョンヒ）政権、その後を継いだ１９８０年から１９８８年までの全斗煥（チョンドゥファン）政権は、多分に保守的かつ権威主義的な政権でした。

ソウル五輪が開かれた１９８８年に全斗煥大統領を引き継いだ、やはり軍人出身の盧泰愚（ノテウ）大統領が、その前年に「６・２９民主化宣言」を出した頃から、政治の雪解けが始まります。１９９３年に韓国初の文民政権である金泳三（キムヨンサム）政権が誕生。次いで１９９８年２月、ついに左派の金大中（キムデジュン）政権が誕生したわけです。

金大中大統領が就任する直前、韓国はアジア通貨危機の影響で経済破綻し、国家の経済運営をＩＭＦ（国際通貨基金）に委ねてしまいました。それで金大中大統領は、「構造調整」と呼ぶ大胆な国内の改革を断行していきましたが、外交もまた「革命的」でした。軍事同盟を結ぶアメリカと、同胞である北朝鮮とを「等距離」で考えたのです。「同盟は大事だが同胞も大事」というわけです。

２０００年６月には、韓国大統領として初めて平壌を訪問し、北朝鮮の金正日（キムジョンイル）総書記と歴史的な南北首脳会談を開きます。そして「６・１５南北共同宣言」を結んで朝鮮半島の緊張を一気に緩和させ、この年のノーベル平和賞を受賞しました。

こうした金大中大統領の外交姿勢は、「米中を等距離で捉える」とした後の鳩山由紀夫首相に影響を与えました。

台湾では、1945年まで半世紀続いた日本の植民地支配の後、中国大陸から中国国民党（以下、国民党）が入ってきて、新たな支配者となりました。国民党は多くの点で、日本の自民党に似ています。保守的、権威主義的で、二世議員も多い。経済と外交安保政策に秀でていますが、自民党と同様、金権政治という欠点も抱えています。

そんな台湾では民主化が進むにつれて、積年の金権政治への不満が高まっていきます。そして国民党の支配が半世紀以上続いた後、2000年についに、リベラルな庶民派政党の民進党に政権交代します。

この頃の民進党は、生活上の細々とした政策に長けていて、議員たちは汚職とは無縁の政治家たちでした。創建が10年遅い日本の旧民主党と瓜二つの政党だったのです。

韓・台の保守政党復権も安倍政権を先取り

この韓国の1998年、台湾の2000年にあたるのが、日本の2009年です。この年の8月30日に行われた総選挙で、与党だった麻生太郎首相（総裁）率いる自民党は、119議席と歴史的惨敗を喫します。代わって、鳩山由紀夫代表率いる民主党が、308議席と地滑り的勝利を収め、見事に政権交代を果たしました。

私は当時の一部民主党議員と知己でしたが、彼らは頻繁に勉強会を開いていて、時折、中国や朝鮮半島情勢について話を聞かせてほしいと呼ばれました。

彼らは、昼間の勉強会の時こそ、「いずれ政権を取ってみせる」と意気込んでいるのですが、夜に居酒屋へ行くと、政権奪取をあまり本気で考えていませんでした。そこで私は、「韓国と台湾で起こったことは日本でも起こります」と説いていました。

しかしいったん政権を取るや、一部の民主党議員は、一転して有頂天になりました。私は「そんなに慢心していると、また野党に転落しますよ。韓国と台湾がそれを証明しています」と何度も言いたくなったものです。

韓国では、金大中政権の5年間の後、より左派的思想を持つ盧武鉉（ノムヒョン）大統領が就任しました。しかし、経済と外交安保政策が混乱していきます。

大統領になる前の盧武鉉氏に会いに行って話を聞いたことがありますが、「私が大統領になったら、就任中の5年間で経済規模を5倍、10倍にする」と豪語していました。その根拠を聞くと、「財閥を解体してその富を貧しい庶民に分け与えるのだ」と言います。

盧武鉉氏の話を聞いていて、失礼ですが思考が破綻しているとしか思えませんでした。どこかの村の村長には適任かもしれませんが、とても韓国の大統領の器ではありません。

盧武鉉大統領は、最後にはお抱え占い師の御託宣通りに行動するようになったりします。そして退任後に、自殺してしまいました。

次は「やはり経済を任せられる大統領」というわけで、現代建設社長からソウル市長に転身した李明博大統領が、2008年に就任しました。右派の復権です。私は李明博大統領にも、2009年夏のある週末に「青瓦台」（韓国大統領府）で夕食をご馳走になったことがありますが、政治思想や哲学はなく、徹底した実利主義者という印象でした。

同様に台湾でも、2000年に華々しく政権交代を実現した陳水扁民進党政権でしたが、やはり経済と外交安保政策が杜撰で、次第に「素人政権」ぶりを露呈させていきます。

私は陳水扁氏にも、総統に就任する前の台北市長時代にインタビューしたことがあります。小学校から大学まで常に成績トップで、司法試験に合格して弁護士になります。そして弾圧される民進党員の弁護を引き受けているうちに、自らも政治家に転身したのです。

そんな陳氏は、日本でインタビューした政治家の中では、民主党元代表の岡田克也氏によく似たタイプの政治家でした。マジメを通り越したクソマジメで、「清濁併せ呑む」という言葉の対極にあるような人です。私は陳市長に思わず、「『水清ければ魚棲まず』（水清則無魚）という諺をどう思いますか?」と質問してしまいました。

何を聞いても通り一遍の「官僚的回答」しか得られず、2時間のインタビュー時間をもらっていたのですが、質問を途中で打ち切って退散しました。これ以上何を聞いても意味がないと思ったのです。一般に大物政治家をインタビューする際、時間は本当に貴重なので、ジャーナリストとしては1分でも長く延ばそうとするものですが、こちらから切り上げてしまったのは、後にも先にも台湾の陳市長と、岡田元民主党代表だけです。

結局、陳水扁総統は2期目に支持率が急落し、退任後は逮捕されて監獄に入れられてしまいました。そしてやはり台湾でも、8年ぶりに国民党が復権を果たし、2008年に馬英九総統が就任しました。私は馬英九氏にも、総統になる前に2度、話を聞きましたが、非常にスマートかつユーモア溢れる即断即決型の政治家でした。

そして、右派の政権奪回という韓国と台湾の2008年は、日本では4年後の2012年末に実現しました。安倍晋三自民党政権の復活です。

日本の「数年先」を行く韓国と台湾の政界では、すでに次の動きが起こっています。それは「左派の再復権」という現象です。グローバル化による社会格差の拡大などで、一度失権した左派に、若者を中心とした支持が集まり、再度復権を果たしているのです。具体的には、2016年に台湾で民進党の蔡英文政権が誕生し、翌年に韓国で「共に民主党」の文在寅政権が誕生しました。

こうしたことから、日本でも近未来に、野党勢力に魅力的な政策とリーダーが出れば、復権は十分にあり得ると私は見ています。このことは本章の最後で詳述します。

アジアの「雁行モデル」が変わった

第二に、文化社会のトレンドについて見ていきましょう。20世紀には、「アメリカで起こったトレンドは5年後くらいに日本でも起き、さらに日本で起きたことは5年後くらいに台湾や韓国でも起きる」と言われました。

この現象は、アメリカとアジアの「雁行モデル」から説明できました。各国・地域の経済発展をピラミッドにたとえると、その頂点に立つのはアメリカです。2番手が「アジア唯一の先進国」である日本。3番手が韓国、台湾、香港、シンガポールの「4つの小竜」。そして4番手は、シンガポールを除く東南アジアや中国などでした。

そのため、文化やビジネスのトレンドの多くは、アメリカが発祥地となります。それがやがて日本に入ってきます。そして日本で「アジア的」に加工されると、今度は日本から東アジア各地に流布していくという流れです。

20世紀後半、日本の意欲的な企業経営者たちは、アメリカ視察に出て、「次に日本で起きるトレンド」を先取りして、ビジネスに活かしました。同様に「4つの小竜」の意欲的な経営者たちも、日本視察によって「次に自国で起きるトレンド」を先取りし、ビジネスに活かしたのです。

古くはベースボール（プロ野球）やバスケットボールなどのスポーツ、ロックやポップミュージックなどの音楽も、日本経由でアジアに広まりました。また、私たちの生活に身近な食文化——ファストフード、ファミリーレストラン、コンビニエンスストア、スターバックスのようなカフェ——なども、同様の流れでアメリカから日本へ、そして日本から台湾や韓国などへと広まっています。

ところが21世紀に入ると、この「雁行モデル」は変化していきました。それは第一に、「4つの小竜」が、日本を経ずに直接、アメリカから文化やトレンドを取り入れるようになったからです。第二に、日本が「失われた20年」と呼ばれる長期沈滞の時代に入り、新たな創造力や発信力が減退していったからです。

こうしたことから、21世紀には、むしろ韓国や台湾から、文化やトレンドが日本に入ってくるという「逆流現象」が起きるようになったのです。

アジアのヒーロー「ヨン様」の胸の内

象徴的な出来事が、2003年にありました。韓国ドラマ『冬のソナタ』がNHKで放映されて空前のヒットを飛ばし、「ヨン様」ことペ・ヨンジュンが大人気になったことです。

この時私は、韓国を代表する月刊誌『月刊朝鮮』から寄稿を頼まれ、「ヨン様は過去1000年で最も日本人が敬愛した韓国人」と書きました。週刊誌が「夫とヨン様のどちらか一人を選ぶとしたら？」と世の奥様方にアンケート調査したら、「ヨン様」と答えた人の方が多かったことが話題を呼んだりしました。

ヨン様が来日した際、私は宿泊先のホテルでインタビューしましたが、帰りがけに恐ろしい目に遭いました。ホテルのロビーで、待ち受けた何百人という女性たちに、「ヨン様と握手した記者だ！」と取り囲まれ、もみくちゃにされてワイシャツを引きちぎられてしまったのです。当時のヨン様人気は、それほど殺気立ったものでした。

ヨン様本人は、実に紳士的でしっかりした俳優でした。例えば私が時折、「いま付き合っている人はいますか？」「結婚は考えていますか？」などと聞くと、同行した韓国人スタッフたちが「プライベートな質問は止めろ」と怒鳴ってきます。しかしヨン様は彼らを制止し、「日本のファンが、私の個人的なことを知りたい気持ちは理解できます」と言って、誠実に答えてくれました。

インタビュー時間はわずか1時間でしたが、通訳なしの韓国語で通したため、深い意思疎通ができました。ヨン様がアジア全体を俯瞰している視野の広さを感じました。私は韓国に、日本人俳優を超える「アジアのスター」が育ちつつあることを実感したのです。

こうした「韓流ブーム」の陰の立役者は、前述の金大中大統領です。金大統領は、1998年10月に小渕恵三首相と「日韓パートナーシップ」を共同で宣言し、韓国国内で日本文化を開放したからです。

それまで韓国では、日本のドラマ、映画、書籍、雑誌、マンガ、歌など一切が禁止されていました。「36年も植民地支配した悪の日本の文化許すまじ」という雰囲気だったのです。金大中大統領が就任して間もなく、東京の韓国大使館で、「日本文化を開放すべきかどうか」という非公式の討論が行われ、日本人の話も聞きたいというので、私も行きました。私は、「いくら過去に植民地支配を受けたからと言って、同じアメリカの同盟国である日本の文化を、戦後半世紀以上も禁止し続けているのはおかしい」と述べました。

しかし強硬派のある韓国人外交官は、「韓国文化はいまだ脆弱(ぜいじゃく)なのに、もしも開放したら、ホランイに喰い尽くされてしまう」と主張しました。ホランイとは韓国を象徴する動物のトラ（ソウル五輪のマスコットにもなった）のことですが、彼がたとえたのは日本のことです。

結局、金大中大統領は、国内の反対を押し切って、日本文化開放を実現させました。それによって日韓交流が進み、2002年のサッカーW杯共同開催が実現したのです。

後日、この開放反対論者だった韓国人外交官は、苦笑して私に言いました。

「日本文化を開放してよかったことが二つあった。一つは、日本のアニメなどを韓国で下請け分業するようになり、韓国の技術が飛躍的に向上していったこと。もう一つは、日本文化のレベルは韓国人が想像していたほど高いものではなく、これなら自分たちの文化もアジアで十分通用すると自信を持ったことだ。

その結晶が、映画『シュリ』（1999年公開の韓国初の北朝鮮スパイとの本格アクション映画）であり、ドラマ『冬のソナタ』だった。ホランイは日本ではなく、アジア各地を席巻していったわれわれ自身だったのだ」

韓ドラ「2＋2」の法則

この韓国人外交官が自賛するように、「韓流」はまさにホランイです。『冬のソナタ』から始まって、2019年12月からネットフリックスが配信して日本でも大ヒットした『愛の不時着』に至るまで、いまや日本人が「韓流ドラマ」を楽しむことが、日常の風景になりました。

日本のテレビ局の人に聞くと、「最近ではわれわれが韓国ドラマの手法を取り込んでいる」と言います。例えば、「2＋2」という法則です。これまで日本のドラマは、有名男性俳優と女優の主役が一人ずついて、「〇〇と△△が共演した最新トレンディドラマ」などと銘打っていました。

ところが多くの「韓流トレンディドラマ」の場合、主人公は4人です。典型的なのは、富裕層の男女と貧困層の男女の計4人が複雑に絡み合ったドラマです。立場が入れ替わったりして、主役が二人の日本のドラマよりも、展開が重層的でダイナミックになるのです。

音楽の世界でも、2013年に韓国でデビューした「BTS」(防弾少年団)というヒップホップグループは、日本で空前の人気を誇っています。彼らが2020年8月21日にユーチューブにアップした3分44秒のMV『ダイナマイト』は、アップから1ヵ月で視聴回数が3・6億回を超えました。日本の全人口の3倍です。この曲は8月31日、全米シングルチャートのビルボード「ホット100」で、全員韓国人のグループとして初めてトップに立ちました。続いて11月19日にアップした『ライブ・ゴーズ・オン』も1ヵ月で2億回を超えています。一昔前まで、韓国の若者たちが日本の「SMAP」らに夢中になっていましたが、いまや完全に逆転現象が起こっているのです。

小説の世界でも韓国の女性作家、チョ・ナムジュが書いた『82年生まれ、キム・ジヨン』の日本語訳が2018年12月に発売され、翌2019年の上半期に日本で最も売れた海外文芸作品となりました。

この小説は、女性の社会進出の壁をテーマにしています。33歳の専業主婦キム・ジヨン(1982年生まれの韓国人女児で最も多かった名前をつけた)は、IT企業に勤める男性と2年間付き合った末、3年前に結婚し、1歳の娘と3人暮らしです。日々のストレスから解離性人格障害と診断された彼女が、生まれてから現在まで、女性だということで、韓国社会の中でいかに差別を受けてきたかを振り返るというストーリーです。

この本は、２０１６年に韓国で発売されるや、１００万部を超えるベストセラーになりました。多くの女性たちが、主人公キム・ジヨンの苦悩に共感したのです。

そのため、文在寅政権はたびたび、この本を取り上げて女性差別やセクハラ防止を訴えました。文大統領自身が「枕元に置いて読んでいる」と公言したほどです。

日本でも、並みいる日本人有名作家の小説を差しおいて、この本がベストセラー1位になったのは、同様の理由だと思います。ちなみに２０１９年7月には、中国人作家・劉慈欣（りゅうじきん）のSF小説『三体』が日本で発売され、やはり日本人作家の作品を押さえてベストセラー1位に輝いています。

女性の社会進出ということでは、韓国では２０１３年2月に、女性初の朴槿恵（パククネ）大統領が誕生しました。私は大統領選に出馬する前の朴槿恵議員にも、単独インタビューしたことがありますが、「『雌鶏（めんどり）が鳴けば国滅ぶ』と言われる男尊女卑社会を私が変えてみせる。何と言っても私は、『青瓦台』で育ったのよ」と述べていました。彼女の父親・朴正煕（パクチョンヒ）大統領は、前述のように18年間もトップに君臨したため、朴槿恵氏は少女時代、「青瓦台」が

「自宅」だったのです。

台湾でも、２０１６年5月に女性の蔡英文氏が総統に就任しました。日本でも女性の首相が誕生すると言われながら、いまだ実現していません。小池百合子東京都知事が「初の女性宰相候補」ともてはやされた時期がありましたが、完全な人気先行型で、いつのまにか萎（しぼ）んでしまいました。

ちなみに国会議員に関しては、２０２０年4月15日に行われた韓国の総選挙で、全３００議席中、57人の女性議員が当選しました。全体の19％です。一方、日本の国会（衆議院）は９・９％。その点、台湾は２０２０年1月11日の立法委員選挙で、全１１３議席中、47人の女性議員が誕生し、全体の41・６％。この割合はアジアの議会で最高です。

韓国型の超格差社会が突きつけるもの

２０２０年2月、韓国のポン・ジュノ監督の『パラサイト』が、米アカデミー賞の最優秀作品賞、監督賞など4部門を獲得しました。この作品は前年5月には、カンヌ国際映画祭でパルムドール（最優秀作品賞）を受賞しており、欧米の映画祭でのダブル受賞は、アジア映画で初めてのことです。私はこの作品を、香港へ向かう機内で観たのですが、韓国独特のブラックコメディに衝撃を受けました。

この作品がテーマにしているのは、文在寅政権下の韓国で広がる超格差社会です。

主人公の4人家族が暮らすのは、ソウルの貧困地区の「半地下」です。半地下というのは、地上と地下の間にある居住空間のことで、韓国の宅地法によると、床から地表面までの高さが、部屋の高さの半分以上なら地下、半分未満であれば半地下と区分されます。『朝鮮日報』（2020年1月30日）の記事によれば、全世帯の1・9％にあたる36万3896世帯が半地下に住んでいます。

窓がまったくない地下と比べて、半地下には地上と地下の半分ずつにあたる窓が存在します。半地下生活の居住者は、この窓の上半分を通じて、家の前を通る人々の足だけを見て暮らしているわけです。道が冠水すれば、窓から水が室内に流れ込んできます。

映画では、そんな貧困層の一家が、「ソウルのビバリーヒルズ」と呼ばれる高級住宅街に住む富裕層の一家と知り合い、一人また一人と富裕層の家に寄生虫のように憑（と）りついていく過程をコミカルに描いています。そのため、韓国語の原題は『寄生虫（キセンチュン）』です。

この映画を機内で観た時、たまたま飛行機がとても揺れたこともありましたが、私は少し吐き気を催（もよお）しました。この映画の4人家族が吐くセリフには、半地下生活者特有の恨み節が詰まっています。それがいちいち耳に刺さり、これはもしかしたら近未来の日本の姿ではないかと思えてきたのです。

２０１７年3月10日、朴槿恵大統領が罷免され、同年5月10日に文在寅大統領が就任しました。この時、韓国メディアは「『大統領の娘』から『失郷民（シリャンミン）の息子』へ」と書き立てました。文在寅大統領の両親は、朝鮮戦争中に北朝鮮から着の身着のまま韓国へ逃れてきた「失郷民」と呼ばれる貧困層です。それだけに、韓国で進みゆく格差社会が解消に向かうことを期待したのです。

ところが現実は、その逆の方向に進んでいきました。文在寅政権が看板政策に掲げたのは、「所得主導成長」でした。これは、最大の政敵である李明博元大統領が主導した「落水効果」の対極にある政策です。

「落水効果」は、まず財閥など大企業を政府が助成し、彼らが利益を上げられるようにする。財閥の景気がよくなれば、水が上から下に落ちるように、社会全体の景気がよくなっていくという考え方です。安倍前首相が日本で実施したアベノミクスや、トランプ前大統領がアメリカで行ったトランプノミクスとも共通する右派的な発想です。

これに対して、「盧武鉉大統領の弟分」だった文在寅大統領が実施したのは、まずは末端の人たちの所得を引き上げることでした。中小企業などで働く労働者の給与が上がれば、彼らが消費することによって社会全体の景気が上向いていくという発想です。

そこで文在寅政権は、「２０２０年までに最低賃金1万ウォン（約１０００円）達成」を公約に掲げて、２０１８年の最低賃金を、前年比16・4％増の７５３０ウォン（約７５０円）に引き上げました。朴槿恵前政権時代の平均上昇率が７・４％だったので、２倍以上の上昇率です。翌２０１９年の最低賃金も、前年比10・9％アップの８３５０ウォン（約８４０円）としました。

この極端な賃金上昇政策によって起こったのは、スタグフレーション（不況下の物価上昇）と、多くの中小企業の倒産でした。大企業は賃金の上昇分を製品の価格に転稼したため、急激なインフレが起こりました。一方、中小企業は従業員の賃金が支払えなくなり、倒産が相次いだのです。その結果、２０２０年６月には若年層（15歳〜29歳）の失業率が10・7％と、ついに10％の大台に乗り、過去20年で最高となりました。

文大統領は２０１８年７月と２０１９年７月の２度にわたって謝罪し、「２０２０年までに最低賃金１万ウォン達成」の公約を撤回しました。そして２０２０年は２・９％アップ、２０２１年は１・５％アップと、今度はアジア通貨危機の時代（１９９８年は２・７％アップ）のような低レベルになってしまいました。

こうした結果、もともと格差社会だった韓国は、「超格差社会」になってしまったのです。ソウルの「半地下」さえも、家賃が上昇して追い出される人々が出てきている始末です。

日本はこうした韓国の状況を、「対岸の火事」と見ているわけにはいきません。２０２

0年に日本を襲った新型コロナウイルスは、文在寅政権の失政に似た状況を、日本社会にもたらす可能性があるからです。

ＯＥＣＤの衝撃的なデータを第2章冒頭で示しましたが、「コロナ恐慌」はもうそこまでやって来ています。日本でも中小企業の倒産件数が急増しており、倒産しないまでも、リストラの増加や新規雇用者の減少などで、若年失業者が増えています。東京にも今後、「半地下」が出現することは、十分考えられるのです。日本の近未来の超格差社会がどのようなものかは、韓国に足を運ぶとつぶさに分かります。

韓国でベーシック・インカムが導入される？

文在寅大統領の任期は2022年5月までで、その2ヵ月前に大統領選挙が行われます。過去を振り返ると、軍事政権から文民政権に移行してから、左派と右派が2期ずつ政権を担ってきました。左派の金大中、盧武鉉、右派の李明博、朴槿恵の各大統領です。そこから再び左派の文在寅大統領に代わったので、この「経験則」に従うなら、「ポスト文在寅」も左派候補が有利ということになります。

そんな中で、左派の候補としてにわかに脚光を浴びているのが、「韓国のバーニー・サンダース」の異名を取る李在明（イジェミョン）・京畿道（キョンギド）知事です。京畿道は、ソウルを取り囲むソウル特別市を除く首都圏で、道都はソウル南郊の水原（スウォン）です。

李知事は2020年11月、リアルメーターの「次期韓国大統領にしたい人物」の世論調査で、21・5%でトップに躍り出ました。与党「共に民主党」の李洛淵（イナギョン）代表（前首相）が同率首位で、3位は右派の尹錫悦（ユンソギョル）検事総長で17・2%です。

同率でトップに立った李在明知事は、特異な経歴の政治家です。1964年12月に、慶尚北道（キョンサンブクド）安東（アンドン）市の貧しい農民家庭に、7人きょうだいの5番目（9人きょうだいの7番目という説もある）として生まれ、小学校卒業時に家族が京畿道城南（ソンナム）市に引っ越します。李氏は中学校へ行かず、地元の工場で少年工となります。機械に巻き込まれて左腕が曲がったり、上司に殴られて片耳が難聴になったりする中で、社会の矛盾を意識していきます。

そこで弁護士になろうと思い立ち、検定試験を受けて、通っていない中学校と高校の学力資格を取り、中央大学校法学部に入学。1986年に見事、司法試験に合格するのです。

研修期間中、やはり高卒で司法試験に合格し、人権派弁護士として活躍していた盧武鉉氏（後の大統領）の講演を聴いて感銘を受け、地元の城南市で人権派弁護士になります。派手なパフォーマンスで次第に地元の有名人になっていき、2010年に城南市長に当選を果たしました。市長を2期8年務めた後、2018年に城南市を含む京畿道知事に当選し、次期大統領の座を狙っているのです。

その李知事が、次期大統領選挙の目玉政策に掲げようとしているのが、ベーシック・インカム（ＢＩ＝最低所得保障）です。国民一人当たり毎月、基礎生活保障（生活保護）の支給額とほぼ同額の50万ウォン（約5万円）を支給するというのです。李知事は、『日本経済新聞』とのインタビュー（２０２０年9月25日付）で、こう述べています。

「自由競争の結果、一握りのグローバル企業への富の集中が進んだ。一方で技術革新で人間による労働の比率は下がり、所得の二極化が進んでいる。国民はお金がないので消費が減り、企業はお金があっても需要不足のため投資できない。そんな悪循環で世界経済は低成長に陥っている。

所得格差の是正と、経済活性化という2つの課題を同時に解決できるのが、ベーシック・インカムだ。月50万ウォンが保障されれば生活のために高い給料を稼ぐ必要がなくなり職業の選択肢が広がる。文化・芸術活動やボランティアが代表例だ。労働が『苦役』から『自己実現の手段』に変わり、暮らしが豊かになる。

米フェイスブックのマーク・ザッカーバーグＣＥＯら世界的な経営者がベーシック・インカムを支持する理由は簡単だ。このままではサービスを買ってくれる人がいなくなる。消費を促すベーシック・インカムは企業にも有益だ。

経済を立て直しながら広がる格差をどう緩和するか。考え抜いた末にたどり着いた帰結がベーシック・インカムだ。（次期大統領選で）重要な論争のテーマになるだろう」

日本でも、新型コロナウイルスを契機として、ベーシック・インカムを導入すべきだという経済の専門家らが出てきていますが、まだ本格的な論争にはなっていません。文在寅大統領の「所得主導成長」は愚策でしたが、李在明次期韓国大統領候補が唱える「月50万ウォンのベーシック・インカム」は、この先、注視していく必要があります。

中国人の爆買いも韓国から始まった

「韓国は日本の5年先の風景」と実感する典型的な体験を、私は2010年秋にしました。当時は、北京の日系文化公司で現地代表を務めていました。

日本の女性誌の版権提携先である中国の大手出版社が、上海と韓国の済州島（チェジュド）を結ぶイタリアの豪華客船「COSTA」号の中で、「北京ガールズ」という表紙モデルのコンテストを実施しました。中国全土から1万人以上の女性が応募した本格的なミスコンの決勝に残った20人による最終選考会で、中国のテレビ局クルーまで乗船しました。審査員は7人でしたが、その中に外国人も入れたほうが格好がつくということで、私に声がかかったのです。

私が述べたいのはミスコンの話ではなくて、済州島の話です。2日目の夕刻に船が済州島に接岸されると、約１４００人の中国人の乗客が一斉に下船しました。わずか5時間あまりの停泊でしたが、免税店で買い物をしたり、韓国料理を楽しんだりしました。

１４００人の乗客中、日本人は私を含めて6人だけで、残りのほぼ全員が中国人観光客でした。中国人はパスポートのチェックもなく下船でき、島民たちが「ようこそ平和の島、済州へ」と中国語で書かれた横断幕を捧げ持ち、島の踊りを踊っています。その脇から、地元の物売りたちが中国人観光客を取り囲み、「便宜（ピェンイ）！（安いよ）」「老板（ラオバン）！（社長）」などと袖を引っ張りながら叫んでいました。

波止場には大型バスが何台も連なり、私たちは次々と詰め込まれていきました。バスの中で「これから済州島自慢のロッテホテルに向かいます」とガイドの女性が中国語で述べてから、何と1時間45分も、漢拏山（ハルラサン）の中腹の真っ暗な山道を、島の北端から南方に向かって、くねくねと進んでいきました。

ようやくロッテホテルに着くと、6階の免税店に直行です。たちまち中国人観光客たちの「爆買い」が始まりました。ものすごい勢いで化粧品などを買い漁っていきます。6階フロアの文字は、すべて中国語に統一されていて、エレベーターの前に立てかけてあったヨン様の大型パネルは倒されていました。

私は日本人3人を誘って、ホテル近くの韓国料理レストランに行きました。そこで店の主人が、激しい済州島訛り(なま)の韓国語で言ったのです。

「ひと昔前までは、多くの日本人観光客が来てくれていたが、今日は久しぶりに日本人にウチの飯を食べてもらった。この頃の客は、中国人ばかりだ。中国人がいないと、島中のレストランが潰れてしまう」

その後、ロッテホテルのフロアマネージャーに話を聞くと、次のように述べました。

「この島には、観光以外に産業がないんです。そしていまや、観光客＝中国人なのです。中国企業が500万ドル以上、島に投資すれば5年間免税とし、中国人が50万ドル以上の不動産を買って5年間保有すれば、永住権を与えることにしました。そしてこの10月からは、全島の店舗で銀聯(ぎんれん)カードを導入したのです。今後とも、中国人が望むことなら、何でもやりますよ」

帰路の長いバス旅では、免税店で山ほど買い込んだ中国人たちが、互いの「戦利品」を披露し合っていました。港近くの交差点でバスは急停車し、ガイドが「10分だけ、皆さんのために特別に深夜営業している地下街を案内します」と告げました。またドヤドヤと、「最後の爆買い」です。

波止場近くにはセブン‐イレブンとファミリーマートが店を出していましたが、やはり中国人が列をなしていました。そして船に乗り込む瞬間まで、地元の果物売りたちが「便宜」「老板」の二言を叫びながら、まとわりついてきます。済州島ではミカン以外の果物は栽培していないはずなので、韓国本土から中国人観光客のために取り寄せているのです。

その後、「ソウルの銀座」と呼ばれる明洞などでも、同様の光景を目にしました。それで、この「爆買い」の波は、5年後くらいに日本にも押し寄せる予感がしたのです。

実際、日本で中国人観光客の「爆買い」が流行語大賞に選ばれたのは、私が韓国で「爆買い」の風景を目にしてからちょうど5年後の2015年のことでした。この年の「春節」（旧正月）の「爆買い」風景は、私も東京で取材しましたが、「爆買いの聖地」と言われた銀座7丁目のラオックス（2009年に中国大手の家電量販店「蘇寧」が買収）では、666万6666円の福袋が売れていました。

韓国で、中国人観光客の割合が全体の25％を超えたのは、2012年のことです（1114万人中283万人）。これに対し、日本で中国人観光客の割合が25％を超えたのは2017年（2869万人中735万人）。やはり「5年差の法則」が当てはまっていることが分かります。

THAADで破綻した中韓蜜月

日本を訪れる中国人観光客はその後も増え続け、観光庁の発表によれば、2019年には959万人もの中国人観光客が訪日しました。消費総額は1兆7718億円にも上ります。一人当たり平均で約21・3万円も日本で消費してくれたわけです。

2020年は、東京五輪もあるし、年間1000万人超えは確実と思われていたのですが、周知のように新型コロナウイルスの蔓延(まんえん)によって、インバウンド産業はかつてない逆風にさらされました。政府の「Go To トラベル」キャンペーンで国内観光は少し回復しましたが、やはり中国人の「爆買いパワー」にはかないません。

再び韓国に目を向けると、日本より約5年早く始まった中国人観光ラッシュと「爆買い」は、2016年を契機として減少に転じます。それは、THAAD(サード)(終末高高度防衛ミサイル)の配備問題で「中韓蜜月」にヒビが入ったことが原因でした。

2013年2月に就任した朴槿恵大統領は、その翌月に政権を発足させた習近平主席と蜜月関係を築き、自らも必死に中国語を勉強するほどでした。CCTVのインタビューにも、一部中国語で答えるほどで、彼女の自伝は中国でベストセラーになりました。

しかし、蜜月ぶりが度を越してしまいます。2015年9月3日、習近平主席が主催した抗日戦争勝利70周年軍事パレードに、朴槿恵大統領は、西側諸国の国家元首として唯一、参加したのです。天安門の楼台に、習近平主席、ウラジーミル・プーチン大統領、朴槿恵大統領と3人立ち並んだ姿は、私も見ていて違和感を覚えました。

この姿に誰よりも激怒したのが、韓国の同盟国アメリカのバラク・オバマ大統領でした。翌月に朴大統領をワシントンに呼びつけ、かねてからアメリカ軍が希望していたTHAADを韓国に配備すると告げます。

THAADは名目上、北朝鮮のミサイルを迎撃するミサイルシステムですが、アメリカ軍が韓国に配備する真意は、北京をカバーする3000kmのレーダーシステムにありました。そのため中国は絶対に看過できないのです。

米韓両政府は2016年2月、THAAD配備に向けた検討開始を発表します。それまでは中韓首脳会談のたびに朴大統領は「三無」（要請がない、検討していない、決定していない）を主張し続けていたのですから、中国は本気で怒りました。いわゆる「限韓令」を発令し、4月に韓国を訪れた中国人観光客は、前年比で67%も減少してしまいます。

特に、THAADの配備先として慶尚南道星州（キョンサンナムドソンジュ）のゴルフ場を提供したロッテグループに対する報復は、激しいものがありました。ロッテは中国では「楽天（ルーティエン）」（日本の楽天の創業前に中国で商標登録済み）と呼びますが、中国に99店舗もあった楽天瑪特（マートゥ）（ロッテマート）は、次々に閉店を余儀なくされました。2018年5月には全店舗を中国企業に売却し、全面撤退しました。

私は2016年8月に、ロッテが中心となって山東省威海（いかい）に展開した中国最大のコリアタウンを訪れましたが、最大12万人居住していたコリアタウンは、その時点で2万人まで激減していました。中国で韓国の存在感が衰えた根本的な原因は、中国企業が「韓国レベル」の製品を作れるようになったため、韓国企業（および製品）の価値が下がったことです。そこに、ＴＨＡＡＤ問題が火に油を注ぐ格好になったのです。

２０１７年5月に就任した文在寅大統領は、「どうしても年内に自分の手で中国との関係を修復する」として、同年12月に国賓として訪中しました。しかし、全部で10回あった会食の機会に、中国側がお付き合いしてくれたのは、たったの2回。習近平主席主催の晩餐会の写真さえ、中国側は公表しなかったのです。

北京在住の私の知人の韓国人が、昼時に馴染みの韓国レストランに入ったら、文在寅大統領の「一人メシ」現場に出くわして仰天したと言っていました。

韓国外交は日本の「明日はわが身」

しかし、私はＴＨＡＡＤ問題を、単に韓国の問題とは言えないと考えています。それはアメリカが、日本にも数年後に中距離核ミサイルを配備しようとしているからです。つまり、やはり「5年後はわが身」なのです。

断片的な事実をいくつか述べます。２０１９年8月、米トランプ政権はＩＮＦ（中距離核戦力）全廃条約から正式に脱退しました。同時期、マーク・エスパー国防長官が、日本を含むアジアを歴訪し、その目的の一つが中距離核ミサイルのアジア配備問題だったことを、『ニューヨークタイムズ』がスッパ抜きます。

2020年6月に河野太郎防衛大臣（当時）が、陸上配備型ミサイル防衛システム「イージス・アショア」の導入断念を発表します。9月11日、退任を5日後に控えた安倍首相が、「遺訓」のような安保談話を発表し、敵基地攻撃能力の保有を促します。12月18日には「イージス・システム搭載艦」2隻の整備を閣議決定しました。

こうしたことから類推できるのは、アメリカの中距離核ミサイルを海上自衛隊のイージス艦に搭載する計画です。

私は菅義偉政権が誕生してから、前年4月まで4年6ヵ月にわたって統合幕僚長（自衛隊トップ）を務めた河野(かわの)克俊前統幕長と対談する機会があったので、「アメリカが近未来に、洋上型（イージス艦）の中距離核ミサイル配備を日本に押し付けてくる可能性があるのではないですか？」と聞いてみました。すると河野前統幕長はやや怪訝(けげん)な表情を見せて、「押し付けるというより日本から求める可能性がある」と答えたのです。

今度は私が怪訝な表情をする番でした。河野前統幕長の説明はこうです。

「1970年代後半に、ソ連が核弾頭を搭載した中距離弾道ミサイル『SS－20』を、西ヨーロッパに向けて配備した。それに対して、西ドイツのヘルムート・シュミット首相が中心となってアメリカに頼み、1979年にアメリカ製の中距離弾道ミサイル『パーシングⅡ』をヨーロッパに配備する決議を、NATO（北大西洋条約機構）で行った。それによってソ連はようやく重い腰を上げて、INF全廃条約の交渉に応じたのだ。

現在の東アジアも、当時の西ヨーロッパと似た状況にある。中国が一方的にミサイルを配備して、脅威が増しているからだ。そのため中国を交渉のテーブルにつかせるには、中距離核ミサイルを日本に配備しておくべきだという戦略が成り立つのだ」

河野前統幕長が述べたのは、軍事的な論理です。すなわち中国が日本に向けて配備している核弾道ミサイルの脅威を取り除くには、こちらも配備する必要があるというものです。

ところが、日中関係には経済的な側面もあります。2020年上半期の日本の貿易の22・8％は中国であり、中国は最大の貿易相手国です。韓国で、前述のように文在寅大統領が「所得主導成長」という極端な経済政策で勝負に出ざるを得なかったのも、元はと言えばTHAAD問題で中韓貿易が冷え込み、韓国経済が急降下したことが遠因でした。

そのため、日本の中距離核ミサイル配備を検討する際には、様々な影響を考慮する必要があります。もちろん「イージス・アショア」の時と同様、日本国内で激しい反対運動が起きることも予想されます。重ねて言いますが、韓国の例が参考になるのです。

韓国の外交を見ていると、近未来の日本の参考になりそうなことは、他にもあります。例えば、在韓米軍の問題です。

2018年6月12日、シンガポールで金正恩（キムジョンウン）委員長との歴史的な米朝首脳会談を終えたトランプ大統領は、記者会見で突然、「在韓米軍はカネの無駄だから撤退させるべきだ」と述べました。

この時、シンガポールまで取材に行っていた私は、耳を疑いました。金委員長が「在韓米軍を撤退させろ」と言うなら分かりますが、発言の主はアメリカの大統領。トランプ大統領にとって在外米軍とは、「海外との契約により派遣している警備員」という感覚だったのです。

2020年分の在韓米軍の駐留経費を巡って、米韓は揉めに揉めました。トランプ大統領が前年比で5倍アップ（！）を要求したからです。一方の韓国側が当初示したアップ率は、前年同様の8％でした。

在韓米軍の駐留経費の協定が毎年の締結なのに対し、在日米軍は5年ごとです。しかし日本も2021年4月から新たな5年が始まりますが、アメリカとの交渉時には、米韓交渉の経緯が参考になるのです。

1月からバイデン政権が始動しましたが、アメリカ社会は急速に内向きになってきており、在外米軍を減らしていく傾向は変わらないはずです。東アジアにおいては、まずは在韓米軍を減らすことになると思われるので、日本は在日米軍の参考にできます。

このことをもう少し俯瞰（ふかん）して考えると、韓国が米中2大国の狭間でどう対応しているかということが、日本の近未来の参考になるということです。換言すれば、いま韓国が米中2大国の狭間でもがいている姿こそが、5年後の日本の姿に他ならないのです。

文在寅政権は、「戦略的曖昧性（あいまいせい）」という戦略を取っています。これは、文大統領の兄貴分である盧武鉉大統領が2005年に、「均衡者論（バランサー）」（米中との等距離外交によって韓国が均衡者の役割を果たす）という外交政策を掲げ、アメリカからこっぴどく叩かれたことに起因しています。文大統領としても、同様の外交政策を掲げたいところですが、盧政権の轍（てつ）を踏みたくないので、「戦略的に外交を曖昧にしておく」というわけです。安保・経済・北朝鮮の3分野で、米中どちらにも笑顔を見せるということです。

実際、韓国の知識人も苦悩しています。韓国を代表する保守系メディアの『朝鮮日報』（2020年10月2日付）に、尹徳敏（ユンドクミン）韓国外国語大学教授（元国立外交院院長）が寄稿した文章を紹介します。

〈韓国政府（文在寅政権）と自主派（進歩派・左派）の人々の考えを整理すると、韓米同盟は冷戦同盟であり、これを解消して南北平和体制を構築し、多国間安保で地域の安全と平和を維持しなければならないという。言葉こそ多国間安保だが、その本質は韓米同盟に代わって中国主導型の秩序を受け入れようということにほかならない。

もちろん同盟派（保守派・右派）も存在する。国民の多くは、南北関係の脈略から韓米同盟が重要だと考える。しかし、米中対決において純粋な同盟派は少数だ。安保は米国、経済は中国に依存する構造で、ある程度、米中間のバランス外交が必要だという立場が多数を占めている。過去の保守政権も、一定の部分で米中間のバランスを取ろうとしてきた。さらには、どちらでもない国家との連帯を強化しようという中堅国外交を提起する専門家もいて、米中間で事案別に韓国の国益を反映して立場を決めようといった考えが、ソロモンの知恵であるかのように提起されている〉

「戦略的曖昧性」を貫く文在寅大統領
（写真：ロイター/アフロ）

日本の店舗が台湾オリジナルに替わった

次に台湾について述べます。台湾もまた、日本の5年後を見る指標になるということです。その前に、現在の台湾は、決して日本の「弟分」ではないことを述べます。

私の母親が日本植民地時代の台湾生まれということもあって、台湾には若い頃から足繁く訪れました。一昔前までは、訪れるたびに「日本のミニチュア」のように感じたものです。まず、台北の玄関口である松山空港（台北国際空港）が、日本の四国にある空港と同名です。かつ大きな日本語表記がそこかしこにあり、空港職員は誰もが流暢な日本語を話し、セブン-イレブンなど日本の店舗も入っているので、外国に降り立った感じがしません。

空港から地下鉄に乗って、台北中心部の台北駅まで行っても、駅の中に構えている店舗の多くが日本のチェーン店でした。街中でも、牛丼店から回転ずしまで、日本のチェーン店のオンパレードです。

ところが最近では、台湾オリジナルの店が急速に台頭しつつあります。2020年1月に台湾を訪問した際には、台北駅の構内で、日本のチェーン店はセブン-イレブンとファミリーマートくらいになっていました。その代わり、「台鉄弁当本舗」という日本の駅弁屋のような店が出ていて、台湾オリジナルの多種多様な中華駅弁を販売していました。

店の人に訊ねると、「2ヵ月前には台北駅全体で『鉄路弁当節』（鉄道弁当フェア）を開催し、とても好評でした」と言われました。「駅弁文化」は日本が発祥ですが、すでに台湾では独自の「中華駅弁文化」が興っているのです。

日本植民地時代の台湾総督府である中華民国総統府の裏手に、衡陽路（こうようろ）という私の好きなストリートがあります。東京で言えば表参道のような、最新トレンドの発信地です。

この通りは以前、日本のチェーン店が犇（ひし）めき合っていたものですが、２０２０年１月に訪れると、日本系の店はモスカフェだけになっていました。モスカフェでは「長崎カステラ」フェアをやっていましたが、少し寂しげです。

代わって目を引くのは、台湾オリジナルの店、特にタピオカミルクティの店です。衡陽路を「タピオカミルクティ通り」と呼びたくなるほど、カラフルな様相を呈していました。

思えば、アジア各国でタピオカミルクティのブームを巻き起こした「発信源」は、１９９５年に衡陽路で第１号店を出した「50嵐（ウーシーラン）」です。ここ数年、「ＫＯＩ」のブランドで日本進出も果たしました。「50嵐」のライバルである「MR.FOXX」も地元では人気で、新型コロナウイルスが収まれば、日本にも進出すると思います。

台湾発のチェーン店と言えば、日本で最も有名なのは、小籠包（ショーロンポー）の「鼎泰豊（ディンタイフォン）」でしょう。１９９６年に東京・新宿の髙島屋に進出したのを皮切りに、いまや東京・大阪・名古屋などで22店舗を構えています。

私が台北の本店を初めて訪れたのは、もう30年近くも前のことです。古アパートの一角に、狭い店舗を構えていました。１９９３年に偶然、『ニューヨークタイムズ』のグルメ担当記者が立ち寄り、その素朴な小籠包の味に感激します。それで帰国後、同紙で「台湾に奇跡の小籠包店があった」と紹介。そのニュースが台湾に逆輸入されて、にわかに客が殺到するようになったのです。

私が台湾の友人に連れられて訪れたのは、同紙で紹介された直後でした。店に行くと「65」と書かれた紙を渡されました。順番待ちで65番目ということです。感心したのは、私が日本人と分かると、店長と思しき女性が現れ、詳細に質問してきたことでした。日本人はどんな味を好むのか？　ここのタレは甘いか、辛いか？　量は多いか、少ないか？　値段はどう思うか？……。おそらく、その当時から日本進出を考えていたのだと思います。しかし、その小さな店が、22店舗も日本で出す有名店になるとは、思いもよりませんでした。

最近の台湾勢の日本進出は、食品業界だけにとどまりません。２０１９年9月には、東京の日本橋に「誠品生活」が進出し、話題を呼びました。１９８９年に台北で創業した台湾最大の書店グループ「誠品（チェンピン）」です。日本の書店が次々と閉店していく中で、台湾の書店が東京の特等地に進出したのです。コンセプトは、「日本からの台湾文化の発信」。

24時間オープンの誠品書店の信義店は、私が台北に行くと必ず立ち寄る場所で、会員カードも持っていて、毎日新刊本の案内がメールで届きます。この書店の優れているところは、単に17万点もの本を並べるだけでなく、「閲読的博物館」を標榜し、台湾の思想・文化の発信基地になっていることです。

２０２０年1月に訪れた時は、「香港民主化フェア」を開催していました。香港の民主化に関連した内外の書籍を一堂に集め、支援していこうという主旨です。２０２０年6月に香港で、香港国家安全維持法が制定されて以降、蔡英文政権は香港からの「政治移民」を受け入れるとしていますが、そうした流れと軌を一にするものです。銅鑼湾書店（香港の反中国共産党書籍を扱う書店で経営者ら5人が２０１５年に中国当局に拘束された）も、２０２０年4月に台北でオープンしています。

ホンハイのシャープ買収と日本病

台湾の日本進出で、過去5年で最も日本に衝撃を与えたのは、２０１６年4月にホンハイ（鴻海精密工業）がシャープを買収したことでしょう。私は「中国の日経新聞」と言われる『経済観察報』でこの10年間、連載コラムニストを務めています。ホンハイのシャープ買収は中国の財界でも関心が高く、当時、同紙に寄稿した生々しいコラムの要旨を、少し長くなりますが自分で日本語に直して再掲します。アジアで日本が置かれた立場を客観視してほしいからです。

〈まさに典型的な日本スタイルと、典型的な台湾スタイルのぶつかり合いだった。この間の、日本のシャープと台湾のホンハイの、まるで芝居のような買収劇である。

結局は、連結売上高15兆円近くを誇るホンハイが、この3月に倒産の危機を迎えていた創業104年のシャープを買収することで決着。日本の大手電機メーカーが外資系企業に買収されるのは、初めてのことだ。

私は2009年から2012年まで、北京で日中ビジネスのコーディネートをやっていたので、「主役」である両社の立ち振る舞いが理解できる。

今回の買収劇の一方の主役であるシャープは、日本人の誰もが子供のころから家庭に製品があった「身近な存在」だ。2007年には、年間売上高3兆円突破を、誇らしく発表した。だがその時がシャープの頂点で、それから先の現在に至るまでの9年間は、見るも無残な転落の歴史だった。そしてついに2016年、倒産の危機を迎えた。

なぜ日本を代表する電機メーカーの一角が、わずか10年も経たずして、倒産の危機に陥ったのか。それはひと言で言えば、シャープが深刻な「日本病」に罹（かか）ったからである。

20世紀の日本人には独創的な人たちがあまたいて、世界を驚愕させる発明を次々とやってのけた。ソニー、パナソニック、サンヨー、ホンダ、任天堂……日本の製造業は、独創的な経営者たちによって発展してきた。

ところが創業者たちが次々と鬼籍に入り、日本の製造業の経営者は、有名大学を出たエリート社員たちに代わっていった。エリート社員たちにとっては、新製品の発明よりも自分の出世の方が大事である。順調に出世の階段を上がっていくのに、発明はむしろ邪魔になるくらいだ。なぜなら、発明には失敗がつきものだからである。

そのリスクを最小限にするには、何もしないことだ。そしてその分の余力は、会社の権力者への阿諛追従に回す。かくして、メーカーなのにほとんど新製品が出ないという不思議な現象が起こる。シャープの場合、俗に「一本足打法」と言われる液晶分野への一本化だった。「最も強い分野に特化する」と言えば聞こえはいいが、要はエリート社員たちがリスクと責任を回避し、液晶以外の分野を放棄してしまったのである。

このような「日本病」に罹った企業の場合、社長にのし上がる人物も、最も高い業績を挙げた社員ではなくて、最もマイナス点が少なかった社員である。なぜなら社内の出世のメカニズムが、加点方式ではなく減点方式だからだ。そのため経営方針もおのずと、リスク回避が第一となる。攻めの経営ではなくて、守りの経営である。

ところが、外部環境はそうなっていない。むしろ逆で、21世紀はIT革命とグローバル化による日進月歩の時代である。時々刻々の変化に対応していかないと、企業は生き残れない。かくして「日本病」に罹った企業は、経営困難に陥っていくのである。前述の日本の製造業を代表するような企業は、例外なく「日本病患者」となった。

「日本病」は、糖尿病と同じくらいやっかいな病気だ。なぜなら、会社のどこに問題があるかを理解していて、かつその欠点をどう改革したらよいのかも理解していながら、なかなか改革を実行できないからである。なぜ実行できないかというと、真の改革のためには、まずは現行の減点方式で上がってきた経営陣の退陣から始めなければならないからだ。

だが、自分の出世が命で上がってきた経営陣は、それこそ命懸けで自分たちの地位を守ろうとする。あと一歩で取締役になれそうな中間管理職にしても、ひたすら経営陣に恭順の意を尽くして、上のポストを窺う。若手社員は「革命」を起こそうにも権限がない。かくして病状はますます悪化し、死(倒産)へ向かって一直線に進んでいくのである。

シャープの場合、何度も「経営刷新会議」が開かれたが、参加した社員の話によれば、「経営刷新会議で決まったのは次の会議の日程だけということが続いた」という。

2009年、日本の製造業の崩壊を危惧した経済産業省が、産業革新機構という官民一体の会社を作った。「15年限定」で「日本病患者」の企業を次々に買収していき、それぞれの長所を結びつけることによって再生していこうという主旨だ。産業革新機構は3000億円を融資し、シャープの根幹である液晶部門をジャパン・ディスプレイ(JDI)と合併させようとした。JDIは2012年に、やはり「日本病患者」となったソニー、東芝、日立の液晶部門を統合した会社だ。２０１６年１月には、それでまとまるかに見えた。

ところがそこに割って入ったのが、ホンハイの郭台銘（かくたいめい）会長だった。日本よりも戦後の発展が遅かった台湾や中国では、いまだに独創的な第一世代が健在である。

１９５０年に台湾で生まれた郭台銘氏は、海軍の専門学校を卒業後、１９７４年に台北で、鴻海プラスチックという企業を興す。その頃、台湾に白黒テレビが入って来たため、テレビのチャンネル部品を作る会社を創ったのだ。創業当時の社員は、わずか15人。

この会社が成長するきっかけは、日本の技術だった。１９７７年に、日本からピカピカの精密機械を買って工場に導入したのだ。その後、「安い製品を大量生産する」という台湾方式で、主に日本やアメリカの下請け企業として成長していった。

ホンハイの二度目の転機は、１９８８年に訪れた。前年に台湾が戒厳令を解除し、中国大陸への投資が認められるようになった。郭会長は、中国大陸に将来、巨大な商機が訪れると見て、中国大陸進出第1号の台湾企業となったのだ。以来、ホンハイは、「世界の工場」と呼ばれるようになる中国大陸で急速に発展し、２０１４年の中国の貿易総額の３・５％を占めるまでになった。２０１５年の「フォーチュン・グローバル５００」の中で31位という、世界最大の電子機器受託製造サービス（ＥＭＳ）企業に成長した。

ホンハイは、これまで「名より実を取る」戦略で、つまり自社ブランドの製品よりも世界のブランド製品のＥＭＳによって発展してきた。iPhoneもホンハイ中国工場で造っている。だが当然ながら、自社でも世界に名の通ったブランドを持ちたくなってくる。そこで目を付けたのが、日本を代表する家電メーカーの一角であるシャープだった。

２０１２年３月、ホンハイは６６９億円を出資し、シャープの株式の９・９％を買い取ると申し出た。当時のシャープは、２０１２年３月期の決算で３７６０億円もの赤字を計上し、有利子負債１兆２５２０億円を抱え、「まもなく倒産する」と囁かれていた。

それでも、２０１２年８月30日、60インチの液晶パネルを年間６００万枚も生産できるシャープ堺工場の特別応接室で、当時のシャープの奥田隆司社長と郭台銘会長は大ゲンカを繰り広げ、交渉は決裂した。このケンカの原因は諸説取り沙汰されているが、要は「日本病患者」と「漢方医」の経営スタイルが合わなかったのである。

シャープの経営陣は、誰も責任を取りたくないため、郭会長から何を提案されても、「後日、会議を開いて検討します」と回答したという。すると郭会長が、「あなたたち日本人は、なぜそんなに決定に時間がかかるのだ？　本気で会社を再生するつもりがあるのか！」と一喝。シャープの経営陣は、「こんなトップの鶴の一声で右に行ったり左に行ったりする台湾企業には買収されたくない」と思い、交渉は決裂してしまったのである。

シャープ経営陣は、産業革新機構を頼った。ところがそこへ、再び郭台銘会長が割って入ってきた。この2月初旬に緊急来日し、大阪のシャープ本社で高橋興三社長の前で、「6500億円出資する」と直談判に及んだのだ。まさに台湾式のトップによる即断即決方式である。ここから急転直下で、産業革新機構からホンハイへと「主役」が移っていった。

2月25日朝7時半、シャープは東京支社で臨時取締役会を開き、13人の取締役による2時間半に及ぶ激論の末に結論を出した——「ホンハイの買収提案を受け入れる」。シャープが創業104年目にして、そして日本の大手家電メーカーが初めて、台湾（外資系）企業に買収されることが決まった瞬間だった〉

台湾は携帯電話は負け組でも半導体は勝ち組

その後、2016年8月13日に、郭会長の長年の側近である戴正呉（たいせいご）副総裁が、シャープの社長に就任します。戴社長は日本語が堪能（たんのう）で、物腰も柔らかですが、経営スタイルは台湾式で、シャープに革命を起こしていきます。そして虫の息だったシャープを、見事にV字回復させていったのです。

シャープは同年10月〜12月期には、早くも「高速黒字化」を達成します。2020年3月期決算は、売上高2兆2712億円、経常利益555億円と完全復活です。

戴社長が行ったことは、主に3点でした。第一にトップダウン方式によるスピード重視。それまで1億円以上だった社長決裁を、300万円以上の案件とし、自ら即断即決していきました。第二にコスト意識重視と信賞必罰。改善があれば褒賞を与え、たるんでいる社員は罰するという意識を徹底させました。第三に、社員とのコミュニケーション重視。社長室を大部屋の一角に置いてオープンにし、住むのも社員寮。2017年度まで無休労働を宣言し、毎月1回、会社の状況や自らの心情を全社員に向けてメールしました。

このように、ホンハイは日本の下請け工場として台湾で出発しましたが、いまや台湾方式で日本の巨大メーカーを再生させているのです。このこと一つをとっても、「日本が上で台湾が下」という「20世紀的アジア観」は、21世紀には通用しないことが分かります。

実際、例えば世界のスマートフォンの2020年第2四半期販売台数の売り上げベスト5は、ファーウェイ（中国）、サムスン（韓国）、アップル（米国）、シャオミ（中国）、OPPO（中国）で、日本と台湾のメーカーは、一社も入っていません。しかし携帯電話の心臓部と言われる半導体に関しては、台湾のTSMC（台湾積体電路製造）が、世界シェアの過半数を占めています。5ナノメートルという極小の半導体を作れるのは、世界でTSMCとサムスンしかないのです。

TSMCの本社があるのは、台湾北西部の新竹県にある新竹サイエンスパークです。1980年から開発が始まり、総開発面積1342ヘクタール、532社あまりのトップメーカーが工場や研究所を構え、15万人以上が働いています。

日本でも1985年に科学万博を開催した筑波に、サイエンスパーク構想がありましたが、花開きませんでした。しかし新竹サイエンスパークのような構想は、近未来の日本に有用だと思います。

特にここ数年、新竹サイエンスパークは再評価されています。それは、米中貿易摩擦の余波と、蔡英文政権の「反中政策」によって、中国に進出していた台湾企業が、台湾に戻ってくる傾向があるためです。新竹サイエンスパークが、「脱中国依存」の受け皿になっているのです。

蔡英文政権は2019年から、3年限定で「歓迎台商回台投資行動方案」という中国から戻ってきた台湾企業に対する優遇策を実施しています。工場用地の提供や外国人労働者の雇用規制緩和、税制面での優遇措置などです。台湾経済部傘下の投資台湾事務所の発表によれば、2020年12月10日現在で、審査を通過した投資案は207社、7902億元（約2・9兆円）、新規就業者は6万5317人に上っています。

日本も台湾に遅れること一年、経済産業省が手を打ちました。2020年4月7日、新型コロナ対策第1次補正予算として、「サプライチェーン対策のための国内投資促進事業費補助金」2200億円と、「海外サプライチェーン多元化等支援事業」235億円を計上したのです。２０２０年内に、前者は第2弾まで、後者は第3弾まで拡張しています。

菅首相も、２０２０年10月に初めて外遊したベトナムとインドネシアで、「サプライチェーンの多角化」を強調しました。今後とも、蔡英文政権が進める「脱中国」は参考になります。

地獄を見た蔡英文総統が復権した理由

前述のように、私は２０２０年1月の台湾総統選挙を現地で取材しましたが、4年に一度の台湾総統選挙というのは、アメリカの大統領選挙と同様、台湾社会の縮図でもあります。何が台湾社会の争点になっているかを注視すれば、台湾社会の核心部分が見えてきます。

台湾総統選挙の場合、最大の争点は毎回同じで、中国とのスタンスです。中国は敵なのか味方なのか、統一すべきなのか独立すべきなのか。ちょうど韓国大統領選挙の最大の争点が、常に北朝鮮問題なのと同じです。

２０１６年5月に就任した蔡英文総統は、もともとは２０２０年7月に97歳で死去した李登輝（りとうき）元総統の対中政策ブレーンをしていた法学者で、強烈な反中意識を持っています。法学者というのは法治国家を理想と考えるので、人治国家の中国に拒否感があるのです。

そのため中国との統一など、それがいくら香港式の「一国二制度」であろうとも、「絶対にノー」という立場です。それで総統に就任した際にも、中国側が求める「一つの中国」の概念を受け入れることを拒否しました。怒った習近平政権は、蔡英文政権を敵視するようになり、中国人観光客を3分の1くらい減らしたり、「台商」（中国大陸とビジネスしている台湾商人）への優遇策を見直したりしました。外交的にも、台湾（中華民国）と国交を結んでいる国を、22ヵ国から15ヵ国へと減らしました（２０２１年1月現在）。

蔡英文民進党政権の前は、馬英九国民党政権でしたが、馬英九前総統の対中政策は「名を捨てて実を取る」というものでした。「『一つの中国』を認める代わりに、『台商』を中国大陸で儲（もう）けさせてほしい」というアプローチです。

それで２０１０年に、ＥＣＦＡ（両岸経済協力枠組協議）を締結しました。これはいわば中台間の自由貿易協定で、条文を読むと台湾側に有利な内容になっています。当時の中国は胡錦濤政権でしたが、師匠の鄧小平氏の遺訓である「以経促統（イージンツートン）」（経済でもって統一を促す）を実践したのです。２０１５年11月には、習近平主席と馬英九総統がシンガポールで会談するという初の中台トップ会談を実現させました。

ところが蔡英文政権は、逆に「実よりも名を取る」方針で、絶対に「一つの中国」を認めません。中国と台湾はそれぞれ「一つずつ」であり、台湾はすでに主権を持った独立国家だというのが、蔡政権の一貫したスタンスです。

そのため習近平政権は、前述のように経済的締め付けを強めていきます。中国は台湾と較べて、面積で265倍、人口で60倍、経済規模で24倍（2019年）もあるのですから、「経済制裁」の効果はてきめんです。蔡英文政権は徐々に窮地に立たされていきます。

最大のピンチは、2018年11月の統一地方選挙でした。地方の首長選挙で、ライバルの国民党に6勝16敗と惨敗した蔡英文総統は、選挙日の晩に会見を開き、民進党主席を辞任します。この頃、政権の支持率は15％まで落ち込みました。

この時、民進党の絶対的地盤だった南部の副都・高雄市の市長に当選したのが、小さな市場の社長をしていた韓国瑜（かんこくゆ）国民党候補でした。その奇跡の勝利は「韓流ブーム」と呼ばれましたが、韓国瑜氏の決まり文句は「民主でメシは食えない」。「世界最大の14億市場がすぐ隣にあり、しかも同じ民族で言葉も同じというのに、なぜ敵対するのか？」と訴え、経済悪化に苦しむ台湾市民の共感を得たのです。韓国瑜市長は勢いをかって、2020年1月の総統選挙の国民党公認候補になりました。

ところが前述のように、2019年6月以降、蔡英文総統に「神風」が吹きます。香港で逃亡犯条例の改正に反対して巻き起こった大規模デモです。同年下半期、デモ隊と香港当局、そしてそのバックにいる中国政府の対立は、激しさを増していきました。

この風に乗って、蔡英文政権が息を吹き返します。「民主がないとメシも食えない」「今日の香港が明日の台湾になってもよいのか？」——今度は蔡英文総統の主張が、共感を呼んでいき、２０２０年1月11日の総統選挙では、台湾憲政史上最高得票数となる８１７万２３１票も獲得し、再選を果たしたのです。

台北で取材していて、蔡英文民進党に対する熱狂はすさまじいものがありました。政治がこれほど国民を奮い立たせるものかと、新鮮な感動を覚えました。台湾人が強い政治意識に目覚めたのは、２０００年の歴史的な政権交代以来、20年ぶりのことです。

台湾人は「反中」ではなく「無関心」

この総統選挙の詳細については、前著『アジア燃ゆ』（ＭｄＮ新書）でレポートしたので多くは触れませんが、「5年後の日本」を感じさせる動きを二つ発見しました。一つは、「超内向き社会」です。

総統選挙の前日の晩、台北の中正紀年堂前広場で、民進党の決起集会が開かれました。60万人近い市民が参加し、特に若者たちの熱気に溢れていました。

その大集会がお開きになった後、近くのラーメン居酒屋に入ったら、決起集会帰りの興奮冷めやらぬ若者たちで一杯でした。日本で言うなら、プロ野球かＪリーグの試合を観に行って、贔屓（ひいき）のチームが勝った後の帰路のような雰囲気です。

そこで10人ほどの若者たちと、創業100年を迎えた台湾ビールのジョッキ片手に、1時間ほど議論しました。彼らは普通の台北の若者たちで、大学生もいれば会社員もいます。カップルも仲間同士もいます。

私がまず、「中国についてどう思う?」と聞くと、全員がブーイングの反応を示しました。つまり将来的に、習近平政権が説くような「一つの中国」になって統一を果たすのは絶対に嫌だということです。

ここまでは想像通りでした。ところが彼らと深く話し込むと、単なる「反中」ではないことが分かったのです。私の隣席の大学3年生はこう言いました。

「ホンネを言うとね、僕らの世代は中国嫌いというより、中国なんてどうでもいいんです。中国が発展しようが滅びようが、どうでもいい。僕らの生活とは何の関係もないということです」

彼と向かい合って座っていた彼女も続きました。

「そうそう。中国に対して言いたいのは、『頼むから私たちの世界に入ってこないで頂戴(ちょうだい)』ということだけだわ。とにかく私たちは、中国と関わりたくないんです」

こういった発言が飛び出すたびに、周囲の若者たちも同意の意思表示をしました。

そこで私は若者たちに、「中国に無関心だとしたら、何に関心を持って生きているの?」

と質問してみました。すると今度は、台北市の地方公務員になって2年目という青年が、代表して答えました。

「一番はスマートフォンの中の世界。その次は自分のことと、職場の席が近い同じ班の人のこと。それくらいかな……」

一同また、ウンウンと肯き合います。横の大学3年生だけは、「僕はプラス彼女のこと」と言い添えて、彼女を喜ばせました。

一世代前の台湾の若者たち、すなわち私と同世代の台湾人が若かりし頃は、「英語と日本語をマスターして、アメリカでMBAを取って、国際的視野と人脈を駆使してタイワニーズ・ドリームを摑む」というのが、台湾の若者たちの理想像でした。ここ20年から30年で、彼らの意識は大きく変化したのです。

日本も似ているとも言えますが、日本の若者が「内向き志向」なら、台湾の若者は「超内向き志向」です。こうした点で、いまの台湾の若者たちの姿は、日本の若者の5年先を行っている気がします。

蔡英文民進党の進化

台湾でもう一つ、日本の5年先を行っているのが、革新政党である民進党です。

２０２０年1月の総統選挙と立法委員（国会議員）選挙には、約１３０万人の「首投族（ショウトウズー）」がいました。何やら恐そうな名称ですが、これは「初めて投票所に行く若者たち」という意味です。台湾の総統選挙と立法委員選挙は4年に一度で、選挙権は満20歳からなので、20歳から24歳までの若者は、この時が初めての投票になったわけです。

蔡英文民進党は、この１３０万人の「首投族」の票を獲得するために、ありとあらゆる手段を使いました。

例えば、当時63歳の蔡英文総統を、セーラームーンのようなコスプレをしたキャラクター「小英（シャオイン）」に仕立て上げ、人形からクリアファイルまで、様々なグッズを作りました。またＬＩＮＥを使って、巧みに台湾語の流行語を織り込んだメッセージを、若者たちに向けて次々に送ったのです。民進党のＩＴを駆使した若者の取り込みには感心させられます。

また、民進党と言えば「台湾独立」というイメージですが、蔡英文政権は若者たちの「超内向き志向」に合わせて、むしろ中国に対する発言を控えるスタンスを取っています。

もともと１９８６年に創建した民進党（民主進歩党）は、「中国から独立してやる」という強い意志を持った人たちの集まりでした。党の綱領には「台湾住民の自決を通して、主権が独立し、自主的な台湾共和国の建設を目指す」と明記しています。

１９８８年から２０００年まで台湾総統を務めた李登輝氏も、台湾独立派の代表格でした。総統退任後、私は台北北郊の李氏の自宅にお邪魔したことがありますが、次のように強調していました。

「新憲法を制定して台湾が独立するのは当然のことだ。現行の中華民国憲法は、国民党が抗日戦争直後の1946年に中国大陸で作ったもので、いまの台湾人の身の丈に合わないからだ。要は米櫃の中にイモが入っていれば、『コメ』というラベルを剝がして『イモ』というラベルに張り替えるということだ。台湾は新憲法を制定した上で、堂々と国連に加盟すべきだ」

ところが現在の蔡英文総統は、こうした先達とは、少し路線を変えています。彼女の主張は、「台湾はすでに主権を持った独立国家なのだから、その状態をキープしていけばよい」というものです。そのための「反中」であり、中国依存からの脱却なのです。前述の韓国・文在寅政権の「戦略的曖昧性」の外交政策にも通じるところがあります。

そして、そうした彼女の主張が、静けさを求める「超内向き志向」の台湾の若者たちに受け入れられているわけです。こうした結果、おそらく130万人の「首投族」のほとんどが、蔡英文民進党に投票したのではないかと思われます。

蔡英文民進党は他にも、総統選挙で国民党張りの狡猾な手段も使いました。例えば、投票日を1月11日にセッティングしたことです。

「台商」のうち、約80万人が中国在住です。彼らはほとんど国民党支持者ですが、1月25日の春節（旧正月）に合わせて台湾に戻ります。ところが台湾の選挙システムには不在者投票はないため、1月11日が投票日だと、選挙日と春節とで、1月に2回戻らなければなりません。それは面倒だということで、投票を放棄する人が続出したのです。

その結果、総統選挙で史上最高得票となる817万231票、立法委員選挙でも民進党は全113議席中、61議席と、過半数を獲得しました。

蔡英文政権は、それまで民進党が不得手だった外交も巧みです。2016年11月にトランプ氏がアメリカ大統領選に勝利すると、就任前の期間を捉えて、トランプ氏に祝福の電話をかけました。1979年の米中国交正常化以降、アメリカの大統領および大統領当選者が、台湾総統と直接話をしたのは初めてで、中国は仰天しました。

その後も、アメリカを巧みに取り込み、2020年5月の2期目の総統就任式典には、初めてアメリカ国務長官（マイク・ポンペオ氏）の祝賀メッセージを受け取りました。国務長官を始め、祝賀やビデオメッセージを寄せたアメリカ高官は計18人にも上ったのです。さらに同年8月のアザー厚生長官の訪台、9月のクラック国務次官の訪台へとつなげていきます。

日本とも交流を広げています。蔡英文総統が総統就任前年の2015年10月に来日した際、ほぼ付きっ切りで、地元・山口まで案内したのが、安倍晋三前首相の実弟・岸信夫議員でした。この自民党きっての台湾派が、菅義偉政権で防衛大臣に就任したのですから、蔡英文政権にとってこれほど心強いことはありません。

前章で述べたように、蔡英文政権はコロナ対策でも「台湾の奇跡」を演出し、活発な「コロナ外交」を展開しました。

２０２１年1月現在、蔡英文政権は盤石で、逆にライバルの国民党の方が解党の危機に直面しています。

実は韓国でも似たような現象が起こっています。台湾で２０１６年5月に国民党から民進党への政権交代が起こったように、韓国でも２０１７年5月に右派の朴槿恵政権から左派の文在寅政権へと政権交代が起こりました。２０２２年3月には再び大統領選挙が控えていますが、前述のように左派勢力の候補者の方が勝つ確率は高いと思います。

「韓国と台湾で起こったことは5年から10年で日本でも起こる」という法則を当てはめるなら、いまの日本の野党勢力も、数年後に再び政権を奪還するチャンスが巡ってきます。台湾の２０１６年、韓国の２０１７年のような「左派の再復権」が、日本でも実現するということです。

日本で野党共闘の旗振り役を務める「無敗の男」こと中村喜四郎代議士は、『日刊ゲンダイ』（２０２０年10月5日付）のインタビューで、こう述べています。

「野党がひとつになって戦えるか。野党がまとまれる環境をつくらなきゃいけない。（中略）衆議院の小選挙区は２８９。前回17年の総選挙は比例代表を含む与党３１３議席、野党１１９議席という結果でしたが、共産党と社民党の比例票は５３４万５４００票に上った。野党が小選挙区の候補者を一本化し、この票が乗れば84選挙区で逆転する可能性があった。１４３選挙区で野党が勝つ可能性があった。（中略）次の総選挙で小選挙区の半分を野党が取れば政権は追い込まれる。50議席差まで詰めれば射程に入り、その次でひっくり返せる」

中村代議士が述べているのは選挙戦術ですが、私が野党に言いたいのは、日本の将来のために、自民党と同等の能力を持つグループに育ってほしいということです。国民が信頼できる野党のリーダーが現れてほしいということです。自民党の「一党支配」が定着すれば、腐敗していくのは、アジアの政治を俯瞰していると一目瞭然だからです。そのためにも、アジアで最も進化した政党と言える台湾の民進党に学ぶことは多々あるのです。

第４章　日本は中国とどう付き合うか

TPP対RCEPの主導権争い

「われわれは継続して、地域の経済一体化を進めていく。そして早期にアジア太平洋の自由貿易区を建設するのだ。中国は、RCEP(地域的な包括的経済連携)が署名に至ったことを歓迎する。また今後、積極的にTPP11(CPTPP=環太平洋パートナーシップ協定)に全面加入することを考慮していく」

2020年11月20日夜、初めてオンライン形式で開かれたAPEC(アジア太平洋経済協力会議)首脳会合の席上、習近平主席が「爆弾発言」を行いました。トランプ大統領や菅義偉首相を始め、画面上に映った20ヵ国・地域の代表たちの顔に衝撃が走ったのです。

この発言から1時間ほどして、CCTVが緊急速報で伝え、アプリを入れている私のスマホが鳴りました。「習近平スピーチ」の全文を読んだ私は、その晩なかなか寝つけませんでした。習主席が、「アジアの中心は、アメリカでも日本でもなく中国だ」と宣言したに等しかったため、心がざわついたのです。

と言っても、なかなか理解しづらいと思いますので、まずはTPPとRCEPについて述べたいと思います。この交渉史は、アジアの経済覇権をアメリカ、中国、日本のいずれが握るのかという闘争史でもありました。

冷戦が終結した20世紀末から21世紀に入って、世界は本格的なグローバリズムの時代を迎えます。ヨーロッパはEU（ヨーロッパ連合）に統合され、北米ではアメリカ・カナダ・メキシコがNAFTA（北米自由貿易協定）を作り、東アジアでも2010年代になってTPPとRCEPの交渉が本格化します。TPPはアメリカと日本が主導し、アジア太平洋地域で「関税ゼロ」を目指す試みで、12ヵ国が交渉に参加し、中国は入っていません。一方のRCEPは中国が主導するTPPよりもやや緩やかな自由貿易体制で、日中韓、ASEAN10ヵ国、インド、オーストラリア、ニュージーランドの計16ヵ国が当初、交渉に参加し、アメリカは入っていません。ともに、安倍政権と習近平政権が本格始動した2013年に、メンバーが揃って本腰を入れた交渉が始まりました。

日本はどちらの交渉グループにも名を連ねていましたが、当時交渉にあたっていた経済産業省の関係者に話を聞くと、次のように述べました。

「安倍首相の発想は、政治の師匠である小泉純一郎元首相の発想とよく似ていた。すなわち、日本にとって重要なのは、一にも二にも強固な日米同盟であって、日米同盟を強固なものにすればするほど、日本はアジアの盟主としての地位を保てるという考えだ。そうした考えに基づき、TPPこそは日米同盟を強固にし、日本が21世紀のアジア経済の主導権を握る格好の『武器』になると睨んだのだ。

当時の安倍首相は、中国に対して強烈な対抗心を持っていた。２００６年から２００７年にかけての第1次安倍政権では、『自由と繁栄の弧』を敷こうとしたが、これは言ってみれば、日本から東南アジアを経てヨーロッパへ至る『中国包囲網』に他ならなかった。安倍首相は2度目の政権で、今度はＴＰＰを中国包囲網に利用しようとしたのだ。

ＲＣＥＰに関しては、日本は非参加国のアメリカに気兼ねして、交渉に積極的でなかった。そもそも経済産業省では、ＴＰＰとＲＣＥＰの交渉グループが同じメンバーだったのだ。首相官邸や茂木敏充経産大臣からは、ＴＰＰを優先するよう指示が出ていたため、ＲＣＥＰには後ろ向きだった」

こうしたこともあって先行したのはＴＰＰで、２０１６年2月にニュージーランドで華々しく署名式が行われました。その前年10月に米アトランタで12ヵ国が基本合意に達した時のオバマ大統領と安倍首相のコメントが、ＴＰＰの本質を物語っています。

オバマ大統領「ＴＰＰの合意が意味するのは、中国ではなく、われわれが世界経済のルールを作るということだ」

安倍首相「ＴＰＰは、日本とアメリカがリードして、アジア太平洋に自由と繁栄の海を築き上げるものだ。経済面での地域の『法の支配』を抜本的に強化するものであり、戦略的にも非常に大きな意義がある」

安倍政権はこの前月には、安全保障関連法を成立させており、経済的にも軍事的にも中国に対抗していく姿勢を鮮明にしたのでした。

逆に中国は、焦燥感を強め、国内でこう宣伝します。ＴＰＰが発効してもアジアの貿易秩序は変わらない、中国は各国と自由貿易協定を結んでいるので影響は受けない、中国には「一帯一路」とＡＩＩＢ（アジアインフラ投資銀行）がある……。

トランプとコロナが潮目を変えた

ところが、ＴＰＰは発効されませんでした。それは２０１７年１月に就任したトランプ大統領が、就任わずか3日後に、ＴＰＰから離脱する大統領令に署名してしまったからです。

ここから習近平政権の反転攻勢が始まりました。同年10月に第19回中国共産党大会で、自身への一極体制を固めると、それまで４年半も眠っていたＲＣＥＰの交渉を再開させたのです。第１回首脳会議は、同年11月にフィリピンで、ＥＡＳ（東アジアサミット）に合わせて行われました。

それでも、安倍政権はＲＣＥＰに消極的で、ＴＰＰに未練がありました。そこで日本としては珍しく、「アメリカから独立した外交」に出ます。アメリカ抜きのＴＰＰ11（ＣＰＴＰＰ）の発効を目指したのです。同年5月にベトナムで初の関係閣僚会合を開き、紆余曲折の末、翌２０１８年3月にチリで、11ヵ国による署名式にこぎつけました。同年12月に、日本、メキシコ、シンガポール、ニュージーランド、カナダ、オーストラリアで先に発効。翌月にベトナムでも発効しました。

こうしてＴＰＰ11が無事に発効したことで、日本はようやく、ＲＣＥＰ交渉に重い腰を上げたのです。２０１８年10月に安倍首相が訪中し、ＲＣＥＰの早期交渉再開で合意。翌月にシンガポールで、第２回ＲＣＥＰ首脳会議を開きます。

しかし、再び難題が持ち上がります。今度はインドが、後ろ向きになり始めたのです。インドでは２０１９年4月と5月に総選挙が行われ、ナレンドラ・モディ首相が再選されましたが、それは「ヒンドゥ民族主義」の強硬派に支えられたものでした。彼らは「インド経済が中国の植民地化してしまう」として、ＲＣＥＰ締結に断固反対だったのです。

中国としては当初、日本さえ説得できれば合意に持ち込めると考えていましたが、インド要因が大きく頭を擡（もた）げてきました。日本も、「インド抜きでは中国の支配が鮮明になってしまう」として、再び後ろ向きになります。実際、インドを除いた15ヵ国のＧＤＰを比較すると、中国一国のほうが、日本を含めた残り14ヵ国よりも大きいのです。

そこで同年10月、習近平主席はインド南部のチェンナイに１泊２日で飛び、モディ首相に直談判します。

「インドが参加する見返りに、相当な土産を用意したが、モディ首相はけんもほろろだった。ここから中印関係は悪化していった」（中国の外交関係者）

翌11月、タイで第3回RCEP首脳会議を開きましたが、交渉は進展するどころか、インドが事実上、交渉から離脱。RCEP交渉は空中分解寸前に陥りました。

それでも2020年が明けると、早期妥結を目指す中国に「3つの順風」が吹きます。

第一に、新型コロナウイルスの影響で、15ヵ国の経済がすべて落ち込んだことです。そのため各国は、貿易の増加による経済回復を切望。RCEPは関税撤廃のハードルがTPPほど高くないため、手っ取り早く妥結して貿易を増やすにはうってつけでした。

第二に、アメリカでバイデン大統領誕生の可能性が出てきたことです。特に日本はそれまで、保護貿易主義者で反中姿勢を鮮明にするトランプ大統領に気を遣ってきました。ところが民主党政権になれば、アメリカが自由貿易に反転するため、空気は一変します。

第三に、日本で安倍首相が退陣し、菅義偉新政権が発足したことです。前出の経済産業省関係者はこう述べます。

「菅首相は、2021年秋までに総選挙を控えていて、具体的な外交成果を挙げたがっていた。その点、RCEPの合意は、『安倍内閣ができなかった外交成果』と胸を張れる。

しかも、TPPの時に日本が苦労した『重要5品目』（米、麦、牛豚肉、乳製品、砂糖）の関税は一切、手を付けずに済むので、日本の損失は少ない」

こうして急転直下、15ヵ国によるＲＣＥＰの署名式が、第４回ＲＣＥＰ首脳会議に合わせて、11月15日にオンライン形式で行われたのです。この時、菅首相は「ＲＣＥＰは日本が主導してきた」と強調しましたが、それは後付けというものです。

前述のように、中国はＲＣＥＰの署名式にとどまらず、その５日後には習近平主席がＡＰＥＣ首脳会合で、ＴＰＰへの参加まで宣言しました。

この狙いは、第一にアジア太平洋地域の経済貿易の主導権を中国が握ることです。第二にアメリカをもう一度ＴＰＰに引き入れて、米中のデカップリング（分断）を回避しようとしています。そして第三に、ますます重要性を増すＡＳＥＡＮを中国に取り込むことです。２０２０年上半期、中国にとってＡＳＥＡＮは、最大の貿易相手に躍り出ました。ＡＳＥＡＮにとっても中国は、２００９年以降、連続して最大の貿易相手です。

日本のニックネームは「年老いた金メダリスト」

こうした中、日本は米中２大国の狭間で、難しい舵取りを迫られることになります。とりわけ「中国とどう付き合うか」という、古くて新しい課題を突きつけられます。

その際、日本にとって重要なのは、「20世紀的価値観」で判断しないことです。たしかに20世紀のアジアは「日本の世紀」でした。前半は軍事的に、後半は経済的にです。しかし21世紀前半のアジアは、明らかに中国が主導権を握る時代です。そして後半は、おそらくインドの世紀になると思います。

毎年1月下旬、スイスの寒村ダボスで「ダボス会議」（世界経済フォーラム年次総会）が開かれ、世界の政財界のリーダーたちが集結します。この世界経済フォーラム（WEF）が主催する会議は、実は世界各地で年間を通して開かれていて、私は2004年から15年ほど、アジア地域で開かれる会議の参加パスを持っていました。それで年に数回、中国や東南アジアなどへ取材に行っていたのですが、それはまさに「アジアの盟主」が日本から中国に移り変わっていく時期でした。

そのことは、国際的な外交交渉の場などで顕著に表れますが、もっと身近なところにも表れます。例えば服装です。21世紀初頭までは、中国の外交官や政財界のエリートたちは、粗末な背広を着ていました。「朝ホテルでアイロンくらいかけてくればいいのに」「靴に泥が跳ねていて、ネクタイが曲がっている」などと思うことがよくありました。

それが2010年代に入ると、彼らの身なりが俄然よくなり、スキャバルやアルマーニといった高級背広を着るようになったのです。まるでバブル経済期の日本人のようです。そんな中国人の激変ぶりを目の当たりにして、日本からの会議の参加者たちは「成金趣味だ」と揶揄していましたが、そこには明らかに羨望の眼差しが含まれていました。

2015年にジャカルタで開かれたWEF主催の会議の席上でのことです。東南アジアの大臣たちが、ASEANの未来について話し合うセッションで、AIIB（中国が主導したアジアインフラ投資銀行）に日本が参加を拒否している話題になりました。

「『年老いた金メダリスト』は、過去の栄光にばかり囚われていて、困ったものだよ」

「その通りだ。『年老いた金メダリスト』は、躍動しているいまのASEANを直視しない」

彼らは日本のことを、「年老いた金メダリスト」（Old Gold Medalist）という蔑称で呼んでいたのです。おそらく日本の首脳と会談する際には、20世紀と同様、最高のスマイルを見せているに違いありません。しかしASEANの「内輪の会」では蔑んでいたのです。

このASEANの二人の大臣には、セッションが終了した後、話を聞きに行きました。すると二人とも、まさか日本人記者が聞いているとは思わなかったようで、一瞬狼狽した様子を見せましたが、それぞれこう弁明しました。

「世界経済トップのアメリカと2位の中国の関係が、悪化していっているだろう。そんな時はASEANの国々としては、世界3位の経済大国である日本に、米中の仲立ちをしてほしいんだよ。AIIBにも参加し、中国の暴走を止めてほしい。ところが日本は、そうした国際的責任を放棄しているではないか。だから日本はもう年老いて、機敏に動けなくなったのだろうと、辛辣なことを言ったのさ」

「AIIBへの拒絶を見ていると、日本はどうやら、この期に及んでも、巨竜と化した中国と対等に伍していけると錯覚しているように思えてならない。だがASEANが求めているのは、日本と中国が対立することではない。両国が協力し、その相乗効果をASEANにもたらしてくれることなのだ」

私はこの会議に参加するまで、ASEANは日本と中国を競わせて、自分たちが漁夫の利を得ようとしているのだと思っていました。例えばインドネシアは、ジャカルタ―バンドン間の高速鉄道建設の受注に関して、日本と中国を散々競わせたあげく、2015年に破格の条件を中国に呑ませて中国を選びました。

ところが実際には、日中が対立すれば、割を食うのはASEANなのです。そして、米中新冷戦の開始が取り沙汰される中、「亀の甲より年の功」ではありませんが、戦後のアジアを支えてきた日本を頼りにしているということなのです。

日本に勝ったバレンタインデーの熱狂

私が北京大学に留学していた1995年のことです。経済学の授業に出ていたら、中国人教授が、学生たちを鼓舞するように言いました。

「君たち、いまの中国は遅れた国で、日本は先進国だ。だが21世紀に入ったら、わが国のGDPは日本を追い越し、アジアでナンバー1になるから、自信を持ちたまえ！」

20歳前後の中国人学生たちは、半信半疑ながら大喜びです。その時、隣席の日本政府派遣の留学生仲間が、私を見ながら呟きました。「そんなこと永遠にあるわけないだろう」

この年、日本のGDPは中国の7・4倍もありました。私も経済学教授の話は、中国人にありがちな「白髪三千丈」の大袈裟な物言いだろうと高をくくっていました。

ところが、それからわずか15年後に、その日が来てしまったのです。

忘れもしない、2011年の「情人節」（バレンタインデー）のことです。当時、私は北京で日系文化公司の駐在員をしていました。この日の晩、北京の五つ星ホテル上階にある夜景の美しいレストランで、中国企業の社長と会食していました。周囲は「情人節」をともに過ごす若いカップルばかりでした。

すると突然、レストランの支配人が、マイク片手に語り出したのです。

「皆様、いま新華社通信の緊急速報が流れました。わが国が2010年のGDPで日本を超えて、アジアナンバー1、世界ナンバー2の経済大国になったのです。これを祝して、今日は店側からお客様全員に、シャンパンを1杯ずつサービスします」

レストランの客たちは皆、拍手喝采です。シャンパングラスが目の前に置かれた時、客の中で唯一の日本人である私の心中は複雑でした。

まだスマートフォンが普及していなかった時代で、私は支配人から新華社通信の報道を見せてもらいましたが、「２０１０年のＧＤＰは中国が５兆８７９０億ドルで日本が５兆４７４０億ドルだった」と記されていました。一気に４０００億ドル以上も差をつけられたわけで、酔いも醒めるほど驚いたのを記憶しています。

その後、中国はＧＤＰに関して、日本を意識しなくなりました。それは、マラソンにたとえるなら、３位の走者が２位の走者を追い抜いて、ぐんぐんスピードを上げているようなもので、目線の先にあるのはトップの走者、すなわちアメリカだけだからです。

２０２０年の経済は、新型コロナウイルスの影響で米中ともに「最悪の年」となりましたが、いち早く立ち直ったのは中国のほうでした。ＯＥＣＤの予測では中国の成長率は１・８％で、アメリカはマイナス３・７％。中国のＧＤＰはアメリカの７割程度まで迫っていて、このペースで行けば２０３０年頃に、ついに中国が世界一の経済大国に躍り出ます。

まさに習近平政権のスローガンにあるように、「中華民族の偉大なる復興という中国の夢の実現」です。習近平政権の歴史観によれば、「古代から１８４０年のアヘン戦争まで」が、中国がアジアに君臨した「伝統的で正常な時代」です。その後の「アヘン戦争から１９４９年の新中国建国まで」が「屈辱の１００年」であり、それを「伝統的で正常な時代」

に戻すのが、21世紀の習近平政権の使命と規定しています。

中央集権統治を続ける中国人のＤＮＡ

現在、最高齢の日本人でも１２０歳を超えていないので、19世紀のアジアを実際に見たという現存の日本人は一人もいません。そのため、われわれはつい「20世紀の価値観」でアジアを見てしまいがちです。すなわち前述の「日本が上で中国が下」というアジア観です。

しかし、私たちが住む東アジアでは、古代から中国を中心とした華夷秩序が築かれてきました。中央・中心にある国だから「中国」と呼ぶわけです。その中国を宗主国として、周辺国が属国（朝貢国）となる厳然とした冊封体制によって、秩序が保たれてきました。

ただし、例外はインドと日本です。インドは世界一高いヒマラヤ山脈の向こうに位置していたため、中国の干渉をほとんど受けずに済みました。同様に日本も、波荒い海を隔てていたため、やはり中国の属国になる必要がなかったのです。それでも3世紀の卑弥呼の邪馬台国時代から始まって、14世紀の足利義満の時代まで、時期によっては中国の属国となり、後ろ盾を得ることで国を治めてきました。明銭も広く日本国内で流通していました。

中国自体も、勃興したり分裂したりを繰り返してきました。中国の王朝が滅亡するのは、異民族の侵入、王宮のお家騒動、民衆の反乱のいずれかのパターンですが、基本的には経済が悪化していった時期です。そのため、いまの中国が経済成長を続ける限り、中国共産党政権は持続していくでしょう。２０１８年３月の全国人民代表大会の記者会見で王毅外相は、「海外で飛び交う中国崩壊論のほうが先に崩壊した」と笑い飛ばしていました。

日本と中国は、同じ農耕社会でも、伝統的な社会システムはまるで異なります。中国は大陸国家なので一年３６５日、どこからどんな敵が襲ってくるか知れず、常に危険と隣り合わせです。そのため、一人のボスが強力なリーダーシップを持って独裁的に統治するシステムが定着しました。そのほうが社会としての意思決定がスピーディで、成員たちを従わせる強制力が保てるからです。いわば中国人の生存本能のＤＮＡが、中央集権統治を続けさせているのです。この点は、ロシアも同様です。

ところが、日本は四方を海に囲まれた平和な農耕社会なので、種蒔きから収穫まで「村単位の合議」が大事になります。こうした伝統があるため、江戸時代も中央集権と地方分権が共存しており、明治時代にはアジアで最初に民主的な選挙制度が根づいたわけです。

つまり、中国やロシアでいつまでたっても民主的な政治システムが根づかないのは、大陸の大国という地政学的要素が大きいのです。同じ大陸の大国でも、アメリカが民主国家なのは、そもそも自由を求めて渡ってきた移民たちによる歴史の浅い国なので、全員平等を旨としていたこと、それにカナダ、メキシコとしか国境を接していないためです。

中国側から見た屈辱の日清戦争

冊封体制は、19世紀に中国(清国)が戦った二つの戦争の敗北によって瓦解します。

一つ目は、1840年にイギリスと戦ったアヘン戦争です。イギリス軍の蒸気艦船に完膚なきまでに叩きのめされたあげく、南京条約で香港島を割譲させられ、広州、福州、厦門、寧波、上海の5港を開港させられました。「屈辱の100年」の始まりで、中国が「世界一の大国」の地位をイギリスに譲り渡す契機となりました。

二つ目は、それから約半世紀を経た1894年に、明治日本と戦った日清戦争です。こちらは中国が「アジア一の大国」の地位を日本に譲り渡す契機となりました。

山東省威海に、劉公島という一周約15kmの小島があります。清国時代には「海上の屏風」と称されて北洋艦隊の本部が置かれ、日清戦争の最後の激戦地となりました。

大日本帝国海軍は、劉公島に何度も砲撃を加えたあげく、1895年2月に北洋艦隊を降伏させました。いまはその島の半分ほどを「中国甲午(日清)戦争博物館」にして、「敗戦の屈辱忘れまじ」という啓蒙活動の拠点にしています。

この博物館は、中国で俗に言う「四大抗日博物館」の一つです。他の3つは、ハルビンの侵華日軍第七三一部隊遺址、北京・盧溝橋の中国人民抗日戦争紀念館、南京の侵華日軍南京大屠殺遭難同胞紀念館です。「四大抗日博物館」のうち、私が最後まで行きそびれていた博物館を、一日かけて見学したのは、２０１６年夏のことでした。

広大な甲午戦争博物館には、「中国側から見た日清戦争」が詳細に展示されていました。明治維新の６年後、１８７４年に日本軍が台湾に入ったことに驚愕した清国は、近代海軍の創設を決意します。１８８８年には、李鴻章（りこうしょう）北洋大臣が、劉公島に北洋艦隊を創設。「日本は文明の仮面をかぶりながら、野蛮な本性を露（あらわ）にした」と記されていました。

この博物館の展示によれば、日中が激突するきっかけとなったのは、１８８６年８月に起こった「長崎事件」でした。北洋艦隊の丁汝昌（ていじょしょう）提督が、軍艦「定遠」他を率いて長崎港に寄港した際、「定遠」の水兵たちが日本の警察と激しい市街戦を起こした事件です。日本では、中国人水兵たちが長崎市内で乱暴狼藉（ろうぜき）を尽くしたというのが定説になっています。しかしこの博物館では、日本側に全面的に非があったと解説してありました。

ともあれ丁提督は、この勢いで日本が軍拡していけば、いずれ中国が大変なことになると、強い危機感を抱いて帰国します。そこで、西太后（せいたいごう）が牛耳っていた北京の朝廷に、日本の脅威を訴えました。

ところが西太后は、夏の離宮・頤和園（いわえん）増築のため、海軍予算をカットしようとしていたくらいで、取り合いません。周囲の重臣たちも、外敵の脅威よりも、いかに西太后に取り入るかに執心していました。

そうした中、日本は現地の在留邦人を保護するという名目で朝鮮半島に軍を派遣し、朝鮮の宗主国である清国と激突したのです。日の昇る勢いの若き明治日本と、落日の老いたる清国とでは、勢いの差は歴然としていました。陸戦でも海戦でも、日本軍の連戦連勝です。

かくして清国は白旗を上げ、1895年に締結した下関条約で、日本は台湾と遼東半島を割譲させ、2億両もの賠償金を得たのです。これが遠因となって、清国は1912年に滅亡してしまいます。

「第2次日清戦争」は不可避なのか

私は基本的に戦争反対論者ですが、中国山東省の離れ小島の博物館で、明治日本の雄姿(展示では「蛮行」)を目のあたりにすると、「当時の日本は若くて勢いがあったものだ」と感慨深くなったものです。しかし習近平政権になって改修された真新しい展示物を眺めているうちに、肌寒くなってきました。

例えば陳列館の入り口には、近代中国の著名な思想家・梁啓超(りょうけいちょう)(1873年〜1929年)の「わが国の千年の大きな夢を喚起せよ。それは甲午(日清)戦争から実行するのだ」という言葉が、ピカピカの額に入れて掲げられていました。梁啓超は、かつて横浜に住んだりもして、思想遍歴の激しい人物ですが、毛沢東主席がこよなく尊敬していました。想像するに、毛沢東主席を「政治の師」と仰ぐ習近平主席は、ここから「中国の夢」という自らの政権のスローガンを拝借したのではないでしょうか。

習近平政権のスローガンは正確には、「中華民族の偉大なる復興という中国の夢の実現」です。つまり、「日清戦争以前の姿」「アヘン戦争以前の姿」に中国とアジアを戻すということなのです。

この博物館の出口には、「中国人民はいままさに、中華民族の偉大なる復興という中国の夢を実現すべく奮闘中であり、歴史から知恵を汲み取れ」という檄文が貼られていました。こちらの発言の主は、習近平主席です。

こうして一日かけて劉公島を見学した後、私が歴史から汲み取ったことがありました。それは、日清戦争直前の状況と、現在の状況とが、瓜二つだということです。しかも、19世紀末の日中と現在の日中とを、あべこべにするとです。

19世紀末の状況は、ごく簡略化すると、以下のように整理できます。

〈日本〉

・富国強兵、殖産興業を合い言葉に、軍事力と経済力を増強し、アジアの新興国として台頭していた。

・イギリスなどとの不平等条約を改正し、欧米列強に追いつこうと躍起になっていた。

・一時的な経済悪化から、伊藤博文内閣は戦争によって経済をV字回復させたかったし、国民の目をそらしたかった。

〈中国（清国）〉

・日本の軍拡と挑発が恐ろしくて、欧米列強に調停や威嚇を依頼していた。

・最高権力者の西太后を中心とした北京の朝廷も国民も、平和ボケしていた。

・現場の軍人たちがいくら危機を訴えても、朝廷は専守防衛を命じるのみで対処が遅れた。

この比較から、何か気づかないでしょうか。そう、日本と中国をひっくり返すと、現在の状況にピタリ当てはまるのです。一応、２０２１年の状況を整理してみましょう。

〈中国〉

・「強軍強国」を掲げて軍事力と経済力を増強し、アジアの覇権国を目指している。

・アメリカとの新冷戦を打開しようと躍起になっている。

・２０２０年冬の新型コロナウイルスと夏の記録的豪雨による経済悪化で、国民の目を外にそらせようと、強硬な「戦狼（せんろう）外交」を展開している。

〈日本〉

・中国の軍拡と挑発が恐ろしくて、アメリカに何とかしてほしいと防衛を頼っている。
・政府も国民も、平和ボケしている。
・海上保安庁や防衛省・自衛隊が危機を訴えても、政府は専守防衛を命じるのみで、尖閣諸島を直接防衛することを許さない。

この通り、日中の立場を入れ替えると、恐いほど一致するのです。

そうなると現在、中国側が尖閣諸島近海で日々、起こしている挑発行為に対して、日本は悠然と構えていてよいのでしょうか？　このままでは、「第2次日清戦争」が勃発してしまうリスクはないのでしょうか？

2020年を通じて、中国が尖閣諸島の領海や接続水域で挑発を繰り返したのは、周知の通りです。接続水域には年間300日以上入ってきました。11月には、中国の海上保安庁にあたる海警局の武力行使を認める海警法の審議が、全国人民代表大会常務委員会で始まりました。海警局は2018年から中央軍事委員会の傘下に入っています。

習近平主席は頻繁に人民解放軍の部隊を視察し、「軍人には戦時中と戦争準備中の二つの状態しかない！」と発破をかけています。そして人民解放軍が、東シナ海や南シナ海で軍事演習を繰り返しているのは周知の通りです。

私が北京大学に留学した1995年、中国は「抗日戦争戦勝50周年」に沸いていました。そしてこの年の入学生は全員、9月の入学オリエンテーションの中で、『七七事変』という抗日戦争勝利50周年記念映画を観させられました。

私も観ましたが、若い彼らは口々に「もう一度、日本と一戦交えたい」と言っていました。そんな彼らは、いまや習近平政権の中枢にいるのです。

もちろん、習近平政権が目標にしているのは、日本占領ではなくて、台湾の統一です。しかし中国側が「釣魚島（ディアオユイダオ）（尖閣諸島）は中国の領土」と主張するのは、「釣魚島は台湾の一部だから」という理屈です。すなわち中国は、台湾の統一と尖閣諸島の奪取を、同じ目線で捉えているのです。そもそも習近平政権は、日清戦争によって台湾を日本に植民地として割譲させられたことが、いまだに台湾を統一できない「元凶」と考えていて、日本憎しなのです。

「ネット尖閣博物館」の出現

尖閣諸島を巡る日中の新しい動きについて、もう少し見てみましょう。

２０２０年10月１日、尖閣諸島が属している沖縄県石垣市が、「尖閣諸島字名変更に伴う郵便番号の設定について」と題した発表を行いました。石垣市は尖閣諸島の新しい郵便番号「〒９０７－００３１」をお披露目したのです。

これは６月22日に、中山義隆石垣市長が発表した次のような通知に呼応したものでした。

〈本日、石垣市議会本会議において、尖閣諸島の字名変更の議案が可決されました。これは、以前より石垣市字登野城２３９０番地から２３９４番地までの字名地番がついていた尖閣諸島を、石垣島に所在する字登野城と区別するために、尖閣諸島の字名を「字登野城」から「字登野城尖閣」に変更するもので、地方自治体の行政手続きの一つです〉

要は、住所の地名に「尖閣」と明記することで、尖閣諸島が沖縄県石垣市に属していることを、より明確化しようとしたわけです。

この郵便番号設定の発表日は、奇しくも中国の71回目の国慶節（建国記念日）でした。その日に海の向こうの日本から「凶報」が飛び込んで来たことで、中国は騒然となりました。

中国側は２日後に反撃に出ます。「中国釣魚島数字博物館」をオープンさせたのです。

一体どこに？　それはインターネット上です。中国でも珍しい「ネット博物館」なのです。

この博物館に「入場」してみると、説明言語を８ヵ国語の中から選択できるようになっていました。中国語・英語・日本語・フランス語・ドイツ語・ロシア語・スペイン語・アラビア語です。世界中に中国の主張を流布していきたいという意図が読み取れます。

日本語の説明を選択してみると、尖閣諸島の写真とともに、「釣魚島――中国固有の領土」と書かれた画面が表れました。そして「自然環境」「歴史的根拠」「文献資料」「法律文書」「学者の論著」「最新情報」「映像資料」の各コーナーに分かれて、中国側の主張に沿った詳細な「展示」がされていたのです。

ネット上の「なんちゃって博物館」ではなく、まさに国家の威信を賭けた博物館です。加藤勝信官房長官は、会見で抗議の意を示しましたが、中国側は意に介さずです。

この中国のネット博物館は、防衛省・自衛隊も詳細に研究したとのことで、関係者の一人は「敵ながらよくできた作りだ」とぼやいていました。私が「日本も同様のネット博物館を作ったらいかがですか」と水を向けたら、「その予定はない」と言われました。

互いに気が合わなかった日中首脳

2021年7月1日に中国共産党創建100周年を迎える中国は、ますます習近平一強体制が強まってきています。そのため、中国の対日政策を考えるためには、習近平主席の日本観が重要です。そこで、そのことを見ていきたいと思います。

そもそもいまの中国(中華人民共和国)は、「抗日戦争に勝利して建国した」ことが、共産党政権の正統性になっていて、国歌にも義勇軍行進曲という抗日映画の主題歌を採用しています。

「建国の父」毛沢東主席は、前述のように『持久戦論』を発表するなど、日本に敵対意識を持っていましたが、1949年の建国後は、社会主義の兄貴分であるソ連ばかり見ていました。その後、ソ連と「兄弟ゲンカ」を起こすと、1972年にニクソン米大統領を迎え入れて歴史的な握手を交わします。合わせて田中角栄首相も迎え、日本と国交正常化を果たしました。

2代目の鄧小平中央軍事委主席は、「白猫でも黒猫でもネズミを捕る猫はよい猫だ」と嘯いた実務的な軍人タイプの政治家で、中国の経済発展に日本を最大限活用しようとしました。つまり親日路線です。鄧主席が君臨していた時代、天安門事件などの不幸な事件も起こりましたが、日本企業が次々と中国に進出しました。

3代目の江沢民主席は、思想的には反日で、学校での反日（愛国）教育を徹底させ、日本のマンガなども追放しました。1998年に国賓として来日した際には、天皇にまで歴史問題を説きましたが、その一方で、経済都市・上海でキャリアを積んできただけあって、日本との経済関係は重視しました。

私は江主席の反日の源泉を辿ろうと、江蘇省揚州の生家を訪れ、付近の住民に話を聞いたことがあります。そこで分かったことは、父・江世俊氏が親日の汪兆銘南京政府の宣伝局長をしていたことでした。そうした自身の家族の過去を消すため、「日本軍に殺された叔父に育てられた」ことにしたり、必死に反日に走ったというのが私の推測です。

4代目の胡錦濤主席は、前任者とは打って変わって親日派でした。中曽根康弘首相の「刎頸の友」と言われた胡耀邦総書記の薫陶を受けただけに、日本が大好きです。私が北京で駐在員をしていた２００９年12月、当時与党だった民主党が１４３人もの議員からなる大量訪中団を北京に派遣しましたが、胡錦濤主席は一人ひとりと我慢強く、個別の写真撮影に応じたほどでした。

そして5代目が、いまの習近平主席です。中国は「社会主義市場経済」という独特のシステムで動いていますが、「社会主義」の部分を作ったのが毛沢東主席で、「市場経済」の部分を作ったのが2代目の鄧小平軍事委主席です。江沢民主席と胡錦濤主席は「鄧小平の弟子」でしたが、習近平主席が理想とするのは毛沢東政治です。つまり抗日戦争時代のように、日本は味方ではなく敵と考えるのが基本姿勢です。

まだ習氏が国家副主席時代のこと。当時北京に住んでいた私が、習副主席を知る中国人に人物像を聞いたら、「全国の抗日紀念館を巡るのが趣味だ」と答えました。中国各地には大小の抗日紀念館があり、共産党政権はそれらを中心にして、全国１００ヵ所の重要教育拠点を指定しているほどですが、いまの中国人はほとんど無関心です。それがそんなところを巡るのが趣味とは、日中関係は大変な時代になると思ったものです。

習近平氏は2012年11月に共産党トップの総書記になり、翌2013年3月に国家主席になりました。目指すは「強軍・強国」です。日本では同時期の2012年12月に、やはり「日本を取り戻す」をスローガンに掲げた安倍晋三政権が発足します。まるで磁石のN極とN極のように、互いに強国を目指す両指導者が反発し合ったのは必然だったのです。

習近平政権は、密かに「3つの目標」を立てます。それは短期目標として、2021年7月の中国共産党100周年までに、あらゆる分野で日本を追い越してアジアでナンバー1になる。続いて中期目標として、2035年までに、あらゆる分野でユーラシア大陸でナンバー1になる。そして長期目標として、2049年の建国100周年までに、アメリカを追い越して世界ナンバー1になるというものです。

まずは、すべての分野で日本に勝つことに精力を傾けました。2013年、尖閣諸島制圧に向けて国家海警局を設置し、東シナ海に防空識別圏を定めます。安倍首相も同年末に靖国神社に参拝するなど、互いに対抗意識を剝き出しにしました。

両首脳は2014年11月、北京APECで初めて日中首脳会談に臨みましたが、互いにそっぽを向いて握手しただけでした。私は「25分のぶんむくれ会談」という記事を書いたのを覚えています。

国家と国家には合う、合わないがありますが、一国のリーダー同士にも気が合う、合わないがあります。安倍首相と習近平主席は、明らかに互いに気が合いませんでした。日本では「両雄並び立たず」、中国では「一つの山に二頭の虎は容認されない」(一山不容二虎)と言うように、まさにアジアの覇権を日中が競っていたのです。

習近平は日本を追い越したから親日になった

「水と油」のようだった安倍首相と習主席が「和解」したのは、2017年11月11日、ベトナムのダナンAPECで行われた6回目の首脳会談でした。習主席が安倍首相に、まるで旧友であるかのように親しげに接してきたのです。そして今後の日中間の全面的な交流強化を提案してきたのでした。

なぜ習主席の態度が、急に柔和になったのか。当時言われたのは、次の2点です。第一に、同年10月に第19回中国共産党大会を成功させ、内政が盤石になったこと。第二に、安倍首相との会談直前にトランプ大統領を北京に迎え、米中首脳外交は成功させたものの、今後の米中対立が見込まれるため、日本を味方につけておこうとしたことです。

どちらも正しいと思います。しかし習主席の胸中を察するに、もう一つ理由があったと思うのです。それは、中国共産党創建100周年までに達成しようとしていた短期目標、すなわち全面的に日本を追い越すことが、3年以上前倒しして達成されたと実感したからではないでしょうか。前述のマラソンの例で言えば、日本という前方にいた走者を、目標地点よりもかなり早く追い越してしまったので、逆に日本に中国の給水を分けてあげるくらいの余裕ができたということです。

安倍政権としても、経済界は日中友好を望んでいるし、「爆買い」の中国人観光客がアベノミクスに貢献することは歓迎です。

かくして安倍首相が2018年10月に北京を訪問し、「日中第三国市場協力フォーラム」を開催。日中民間企業・団体間で52もの協力覚書を締結しました。これは日中ビジネスが、従来型の日本企業の中国進出、もしくは近年始まった中国企業の日本進出に加え、日本と中国以外の第三国市場に、日中の企業が協力して進出しようという新しい試みです。

この時、安倍首相は習近平主席に、「来年5月に新天皇が誕生し、元号も変わるので、最初の国賓として招待したい」と述べて、習主席を喜ばせます。

ところが日本に帰国し、「盟友」のトランプ大統領に訪中について電話で報告したところ、「なぜ自分が最初の国賓でないのだ!?」と激昂(げきこう)されます。安倍首相としては、2019年4月にワシントン訪問が予定されていて、同年6月には大阪G20(主要国・地域)サミットも決まっているので、世界一多忙なトランプ大統領が、まさかその間の5月にも来日するなど想定外だったのです。

しかし、トランプ大統領が「5月に行く」と言うのですから断れません。同年秋には、ローマ教皇の国賓級の来日が決まっていました。そこで日本から中国に対して、「申し訳ないが習主席の国賓来日を2020年の桜が咲く頃に変更してほしい」と詫びを入れたのです。プライドの高い習近平主席も、大阪G20で訪日する予定もあるので矛を収めました。

そして大阪G20の時の日中首脳会談で、安倍首相はカメラの放列の前で冒頭、「ぜひ来年の桜の咲く季節に国賓として日本へお招きしたい」と、わざわざ述べたのでした。習主席もにこやかに、「ぜひ前向きに考えたい」と答えました。習主席が日本にいるのに「日本へお招きしたい」と言うのもおかしな話ですが、安倍首相が習主席の顔を立てたのです。

コロナで訪日を延期させた日本に激昂

ところが2020年に入ると、中国湖北省の武漢で、新型コロナウイルスが感染爆発。ウイルスの脅威は、瞬く間に中国全土に広がっていきました。1月25日は、14億中国人にとって一年で最も大切な「春節」(旧正月)でしたが、「悪夢の春節」と呼ばれました。私のところにもWeChatを通じて、100通以上の「電子年賀状」が中国人から届きましたが、そこで描かれた干支のネズミは、大半がマスクを付けていました。

1月31日、アメリカ政府が、中国からの外国人の入国をストップします。香港、台湾、モンゴル、北朝鮮など近隣諸国・地域も同時期に、同様の措置を取ります。しかし日本政府は結局、3月8日まで禁止しませんでした。「中国からの渡航を全面的に禁止したら、（4月6日に来日を予定している）習近平主席も入れられなくなる」というわけです。

それでも日本で、「なぜ中国人を受け入れ続けるのか」「習主席の訪日は延期すべきだ」という世論が、次第に高まっていきます。

そんな中、安倍首相としても、このまま習主席の訪日を受け入れては、内閣支持率が急落してしまうのは必至なので、「訪日延期」の方向に傾いていきます。しかし、国賓訪問を延期するというのは、そう簡単なことではありません。

安倍首相の母方の祖父にあたる岸信介首相は、この国賓訪問問題で自らの内閣を崩壊させています。1960年6月、日米安保改正に反対する安保闘争が全国的に巻き起こる中、岸首相は強引に国会で批准させます。この時、日米修好通商条約100周年を記念して、ドワイト・アイゼンハワー大統領が国賓として来日することになっていました。

ところが、予定通り来日したら大統領の身の安全が保証できません。そこで、日本側は「アメリカ側から延期すると表明してほしい」と頼み、アメリカ側は「日本側から要請すべきだ」と押し戻します。この一件で日米が、数ヵ月間も押し付け合ったのです。

結局、日本側が臨時閣議を開き、延期を要請したのは、来日予定の3日前のことでした。外務省の記録「米州諸国大統領本邦訪問関係　アイゼンハワー米国大統領関係」には、こう記されています。「米国官民に深刻な衝撃を与え、わが国の国際信用を著るしく低下せしめ、今後の日米関係に大きな影響を与えうるもの」。そして訪日予定だった4日後に、岸内閣は総辞職したのです。

最も尊敬する祖父の政権の「最期のシーン」を、安倍首相が知らないはずはありません。そこで外交ルートを通じて、「中国側から新型コロナウイルス蔓延による訪日延期を発表してほしい」と要請します。

ところが中国側は、まったく別のことを考えていました。その「主役」は、王毅国務委員兼外相です。

当時、新型コロナウイルスは、中国から世界へ拡散し、特にヨーロッパでは「14世紀のペスト禍以来」という甚大な危機に見舞われていました。中国を「加害者扱い」する世論が世界各国で巻き起こり、トランプ大統領は「チャイナウイルス」と叫んでいました。

そんな中、王毅外相は、習近平主席の4月訪日を実現することで、「ウイルス撲滅の日中協力」を謳(うた)い、中国は国際的なウイルス撲滅の先駆者であることをアピールしようと目論んだのです。そこで中国側は、「夏の東京五輪開催を全面的に支持する」ということまで持ち出して、強行突破しようとします。

実は王毅外相には、「国内がピンチの時に日本を利用して突破する」という成功体験が、過去にありました。それは、1989年の天安門事件の直後です。

1989年6月4日、北京の天安門広場に人民解放軍の戦車部隊が突入し、民主化を要求していた学生たちに多数の死傷者が出ました。この天安門事件で、日本を含む西側諸国の企業は一斉に退去し、中国は経済苦境に立たされ、対外的に孤立します。

この時「暗躍」したのが、当時、中国外交部アジア司（局）日本処（課）の王毅処長（課長）でした。日本側に三顧（さんこ）の礼を尽くし、天安門事件からわずか3ヵ月余りしか経っていない9月17日〜19日、伊東正義元副総理（日中友好議員連盟会長）を団長とする訪中団を実現させたのです。これは、天安門事件後に西側諸国の政治家が訪中した初のケースでした。

これを受けて、日本政府は北京への渡航自粛勧告を解除。西側諸国に先駆けて、中国をバックアップしていったのです。この一連の出来事は、中国の経済発展と国際社会復帰への道を開きました。それと同時に、王毅処長の異例の出世の道も開いたのです。そこで、「夢よ、もう一度」と、王毅外相が習主席訪日を利用して中国を復活させようと目論んだのでした。

王毅外相は習主席に重ねて、「日本側も（習）総書記の訪日を期待しています」と報告していたようです。しかし「そうではない」という別ルートからの報告もあったようで、習主席は中国外交トップで、王毅外相の「天敵」と囁かれる楊潔篪中央政治局委員兼中央外事工作委員会弁公室主任（前外相）に、日本へ行くよう命じます。

2月28日、楊委員が緊急来日し、安倍首相と会談しました。この時、安倍首相は、「中国側から習主席の来日延期を要請しないのならば、来週、日本側から発表する」と最後通牒を突きつけます。実際、翌週に日本側から「来日延期」を発表しました。

こうして、習近平主席の国賓訪問は再び、お流れとなったのでした。習主席は、「過去7年で国賓として招待を受けながらドタキャンされたのは初めてだ」として、「もう安倍政権の間は日本へは行かない」と激昂したという話が、日本側に伝わっています。実際、4月14日から連続１１１日間にわたって、公船を尖閣諸島の接続水域に送り込んでいます。

そのため、同年9月に菅義偉政権にバトンタッチしましたが、菅政権が反中でなく、かつ長期政権になるという「二つの見極め」ができない限り、来日はしないでしょう。

中国人がのけぞった「恐ろしい姓」の首相

菅義偉政権は、２０２０年9月16日に発足しました。その2週間前に、菅義偉官房長官

（当時）が自民党総裁選への出馬会見を開いた頃から、私のスマートフォンには、WeChatで普段、連絡を取り合っている中国の記者らから、「菅是誰？」（菅ってどういう人？）という質問が来ました。

それまでの菅氏は、安倍政権ナンバー2の官房長官として、7年8ヵ月あまりにわたって記者会見を一日2回開いてきましたが、例の訥々とした口調で、「常識の範囲内」の発言に終始していました。中国外交部の「戦狼報道官」のように、頻繁に外国に対して吠えていれば、海外のテレビも放映してくれるというものです。しかし地味な存在の菅官房長官をCCTVなどが取り上げることは、ほぼありませんでした。

そのため、ほとんどの中国人は菅氏の顔も名前も知らない状態でした。「菅直人（元首相）が復活するのか？」と聞いてきた中国人もいました。日本人の名前を漢字で判断する中国人にしてみれば、「菅義偉」と「菅直人」の姓は、同じ「菅」なのです。それは「菅（勘）違い」というものですが（笑）。

中には、「恐い名前の首相が日本に誕生したものだな」という感想を漏らした中国人もいました。この意味するところは、中国語をある程度、勉強した人ならピンと来るでしょう。

現代中国語では、「菅」という漢字は、基本的に使われていません。唯一の例外は、「草菅人命」という四字熟語です。そのため中国人は、「菅」という漢字を見ると、反射的にこの四字熟語を思い浮かべるのです。

その意味するところは、「草木を刈り取るように人の命を奪っていく（暴君）」というものです。もちろん菅義偉首相の責任ではありませんが、「菅」という姓が醸し出す中国語のイメージは、恐ろしいものなのです。

歴代の日本の首相で言えば、他にも中国人を震え上がらせた姓がありました。それは、２００９年９月から翌年６月まで首相を務めた鳩山由紀夫氏です。

鳩山政権は「友愛の政治」をスローガンに掲げ、「ハト派」のイメージがあります。しかし中国では、文化大革命が吹き荒れる１９７０年に、毛沢東主席の肝煎りで創られた革命映画『紅灯記』に登場する、中国人を苛烈に拷問する日本人憲兵隊長の名前が「鳩山」だったのです。文化大革命の時代は、「八大革命劇」しか娯楽がなかったので、「鳩山」という名前が中国人に残した印象は鮮烈でした。いまでも一定年齢以上の中国人は、この名前を聞くと震え上がってしまうのです。

名前の話は余談ですが、菅政権発足後の日中関係について、中国の外交関係者に話を聞いてみました。すると、「あくまでも個人的見解」と断った上で、こう答えました。

「菅義偉新政権というよりも、二階俊博幹事長が留任したことが大きかった。二階幹事長は日本政界の親中派筆頭で、わが王毅国務委員兼外交部長（外相）も、二階幹事長と会った時だけは、まるで旧友と再会した時のように両手を差し出し、相好を崩すほどだ。習近平国家主席にも面会してもらっている。

安倍首相は、二階幹事長の進言を聞かず、対中強硬外交に走った。だが菅首相は、『後見人』の二階幹事長の声を無視するわけにはいかないだろう」

菅政権発足時には、習近平主席自ら、祝賀電報を送ってきました。習主席は普段、「自分は国家主席であり、日本のカウンターパートは首相ではなく天皇である」という意識を強烈に持っています。副主席時代の2009年末に来日した際には、天皇と面会するしないで、大モメに揉めたほどです。

そのため、中国側が「日本の首相のカウンターパート」と位置づける李克強首相が祝電を送ってくると、私は思っていました。そうしたら、李克強首相からの祝電と、習近平主席からの祝電が、二つ届いたのです。ちなみに、2012年末に第二次安倍政権が発足した際には、中国からの祝電は誰からもありませんでした。

こうしたことからも、習近平政権が菅政権に期待をかけていることが読み取れました。

過去に2度もスパイ扱いされた新大使

菅政権発足2ヵ月前の2020年7月15日、『読売新聞』とNHKがスクープを報じました。『読売新聞』が報じた見出しは「中国大使　垂氏起用へ…『チャイナスクール』2代連続」。NHKが報じたタイトルは「中国大使に外務省 垂秀夫官房長を起用で調整へ」。

垂秀夫氏は1961年大阪府生まれで、1985年に京都大学法学部卒業後、外務省入り。前任の横井裕大使の6期後輩で、中国の南京大学に留学後、天安門事件が起こった1989年に、在中国の日本大使館勤務。その後、1995年から再び北京の日本大使館勤務を経て、1999年に香港日本領事館の領事になりました。2001年からは台湾の交流協会台北事務所に総務部長として出向し、2008年に中国モンゴル課長。2011年から再度、北京の日本大使館で公使。2016年に再び台湾の交流協会台北事務所。そして2019年7月から、本省で官房長を務めてきました。

このように、外務省チャイナスクール（中国を専門とするグループ）の王道を歩いてきた垂氏ですが、私はこのニュースを見た時、やや戸惑いを覚えました。それは外務省では、本省の中国・モンゴル課長と駐中国大使には、チャイナスクールの「親中派外交官」を送るという伝統があったからです。

その慣習が破られたこともあります。第一次安倍政権の2006年に、チャイナスクールではなく、対中強硬派と言われた秋葉剛男氏（現事務次官）が、中国・モンゴル課長に就任した時です。この時は外務省内で大きな反発が出て、以後はもとに戻しました。

駐中国大使の方は、民間から抜擢された丹羽大使も含めて、親中派勢力が占めていました。垂氏の前任の横井大使も、中国文化をこよなく愛している方で、私は北京で一緒に昆劇（16世紀に江蘇省で興った古典歌劇）や中国漫才を見に行ったことがあります。そんな中で垂氏は、チャイナスクールの中では対中強硬派で、外務省内では駐中国大使になるとは目されていなかったのです。

そのような垂氏を、なぜ新たな駐中国大使に抜擢したのでしょうか。その理由について、このニュースが流れた日、同じ外交官出身の天木直人元駐レバノン大使は、自身のブログで、こう分析しています。

〈この垂秀夫という外務官僚は、中国に在勤していた時、スパイ活動の疑いで中国政府から警戒され、それを察知した外務省があわてて帰国させてほとぼりを冷ました、いわくつきのチャイナスクールのホープだ。チャイナスクールには珍しい対中強硬派の外務官僚だ。

その垂氏を、このタイミングでわざわざ次期駐中国大使に内定し、中国政府に同意（アグレマン）を取り付けようとしている。断れるものなら断って見ろと言わんばかりだ。

もし中国が断ってきたら、それを大きく報道し、中国とはこんなに日本を敵視する悪い国だと宣伝するつもりだ。大使人事を拒否するということは外交関係を緊張させる異例の事態だ。それをおそれて中国が垂秀夫次期駐中国大使を受け入れる事になれば安倍首相の

勝ちだ〉

米中新冷戦と言われる中、今後の日中関係も厳しいものに変わっていくことが予想されるため、あえて対中強硬派を大使に抜擢したというわけです。思えば、安倍首相―秋葉外務次官―垂大使は、外交思想がピタリ一致していました。

天木元大使が言及している「スパイ活動の疑いで中国政府から警戒された」ということも、解説が必要でしょう。実は、垂大使は中国政府から「スパイ活動の疑いで警戒された」ことが、過去に2回あります。

1回目は、北京オリンピック直前の2008年のことです。中国共産党中央委員会機関紙『人民日報』社が発行する国際紙『環球時報』(2008年7月14日付)が「日本外務省が中国事務の責任者を交代　候補者にスパイ嫌疑」という記事で報じています。長文の記事ですが、要約すると以下の通りです。

〈(2008年)6月末に外務省アジア大洋州局が、中国課を「中国・モンゴル課」に改名して以降、8月1日に中国・モンゴル課長の人選を宣布する。中国課長のホットなポストにはおそらく、かつて日本外務省から中国に派遣されたスパイが選ばれそうだ。

北京市高級人民法院は2006年9月、すでに判決を出しており、日本外務省の国際情報統括官組織がスパイ組織だったとしている。かつその組織の工作活動に、現在の外務省高級官員、および中国の日本大使館の書記官と『読売新聞』の二人の記者が関わったスパイだったとしている。その駐中国日本大使館書記官はスパイ組織の重要幹部であり、外務省高級官員もまた、駐中国の日本大使館で勤務歴があり、頻繁に訪中している。外務省内の噂では、垂秀夫がその両名のうちの一人だ〉

この時の「スパイ事件」に関しては、『読売新聞』（2008年3月11日付）が報じています。2005年春に、北京市内の中国人マッサージ業者が捕まり、翌年にスパイ容疑で無期懲役刑となりました。その男は、「中国共産党指導者用電話帳」を知人から入手してコピーし、日本の「現職外務省幹部と書記官」に売ったというのです。『環球時報』は、「二人の日本人スパイ外交官」のうち一人が垂氏だとしているわけです。

垂氏が中国で「スパイ容疑」に引っかかった2回目は、2013年に公使として北京の日本大使館に勤務していた時です。

垂公使は、中国で「反共産党政権的思想を持つインテリ」たちを1ヵ月程度、日本に招待して民主国家の素晴らしさを見せるという事業を推進していました。これが習近平政権の逆鱗（げきりん）に触れ、垂公使をひっ捕らえて「反中スパイ」として、日中間の外交問題にしようとしているという情報を、東京が摑みました。

そこで東京から垂公使に電話をかけ、理由を告げずに「至急、一時帰国するように」と命じます。何事か分からず、すぐに北京へ戻るつもりで帰国した垂公使は、「危険が迫っているので今後、北京へ足を踏み入れてはならない」と告げられます。これが「垂公使失踪事件」の真相です。

垂氏はこの事件によって、日中外交に従事することを諦め、その後は日台外交に邁進していきます。カメラが趣味で、台湾総統府で写真展を開いたこともありました。

そんな垂氏を、2020年7月に安倍政権は、あえて北京の日本大使に抜擢することを決めたのです。これは来る米中新冷戦において、「日本は中国には与しない」という強烈なメッセージになりました。

垂氏に中国大使のアグレマンを出すべきか、出さぬべきか。逡巡した中国側は、東京の孔鉉佑中国大使が、日本の親中派議員筆頭の二階俊博幹事長に相談します。二階幹事長は以前から垂氏と親しい関係にあったため、「垂大使が着任しても日中関係は損なわれない」と言明しました。

こうしたすったもんだの末、垂大使は11月に北京に着任したのです。着任直前の11月9日には、菅首相が垂新大使をランチに招いて送り出していますが、こうしたことは異例です。垂大使に求められているのは、日本も同盟国のアメリカもトップが代わった後の「毅然とした外交」です。

「尖閣を死守する」を第一に考える

米中新冷戦と言われる中、日本は中国との関係を、どうしていけばよいのでしょうか。以下、私見を述べたいと思います。

第一に「尖閣諸島を死守すること」——これを最優先にすべきです。

日本には現在、周知のように事実上、3つの「領土問題」が存在します。北側から、ロシアとの北方領土、韓国との竹島、そして中国との尖閣諸島です。このうち日本が実効支配しているのは尖閣諸島だけです。もしも尖閣諸島まで中国に奪われてしまったら、日本がいま以上に萎縮していくのは自明の理です。

もう一つ明らかなことがあります。それは習近平政権は、建国以来の悲願である台湾統一に本気になっているということです。習主席は多くのことで、崇拝する毛沢東主席を手本にしていますが、毛主席が生前かなわなかった最大の事業が、台湾統一でした。

そこで習主席は、何としても自分の手で台湾を統一し、「建国の父」を超えるレガシー（政治的遺産）を残そうと意欲を見せています。習主席が現存の政治家として唯一、手本にしているロシアのプーチン大統領が、ソチ冬季五輪直後の2014年3月にクリミア半島を無血併合したことも励みになっています。

そんな中国にとって、尖閣諸島は「台湾の一部」という位置づけなので、台湾統一と尖閣諸島の奪取は、いわば同義です。かつ2360万人が住む台湾島よりも、無人の尖閣諸島のほうが奪取しやすいに決まっています。

中国は2020年も、尖閣奪取のレベルを不断に引き上げてきました。12月10日までで、315日も接続水域に入ってきて、うち27日は領海内に入ってきています。そればかりか、11月には海警局の武力行使を容認する海警法の審議を、全国人民代表大会常務委員会で始めました。これは近い将来、実効支配している日本側が島に何らかの建造物などを建てた場合、武力行使して撤去する法的根拠を与えるものです。

一方の日本はと言えば、いまは海上保安庁が中心となって、周辺海域の警備を強化していますが、自衛隊も防衛力の強化に努めています。9月に河野克俊前統幕長に聞いたところ、こう答えました。

「空自は、平成28（2016）年の第9航空団の新編に加え、平成29（2017）年に、南西航空方面隊を新編した。陸自は、平成28年の与那国沿岸監視隊などの新編に加え、平成30（2018）年に、本格的な水陸両用作戦機能を備えた水陸機動団を新編している。さらに令和元（2019）年、奄美大島に警備部隊などを、宮古島には警備部隊を配置した。令和2（2020）年3月には、宮古島に地対空誘導弾部隊および地対艦誘導弾部隊を配置し、今

防衛力の強化	①国民保護計画の作成および自衛隊との訓練 ②南西諸島での警戒監視・防空能力強化 ③南西諸島への本土等からの展開能力向上 ④南西諸島の空港・港湾の整備 ⑤南西諸島における兵站能力の向上 ⑥自衛隊単独および日米共同での島嶼防衛訓練強化と訓練場整備 ⑦島嶼防衛用の新装備の研究開発促進 ⑧台湾防衛当局との意思疎通
警察力の強化	①海上保安庁の体制強化 ②沖縄県警の尖閣警備体制の強化 ③水産庁の官船および用船の増強・体制強化 ④海上保安庁および沖縄県警と自衛隊との連携強化 ⑤出入国在留管理庁と海上保安庁および警察との連携強化 ⑥海上保安庁と米国コーストガードの共同訓練 ⑦日中漁業共同委員会による暫定水域等の漁獲量の確定 ⑧沖縄漁業基金の拡充
行政力の強化	①施設・設備の整備 ②尖閣諸島周辺の漁業支援 ③尖閣諸島戦時遭難事件の遺骨収集および慰霊祭の支援 ④海洋・環境調査の実施 ⑤石垣市に領土・主権展示館の出先機関の設置等 ⑥久場島での固定資産税に係る実地調査 ⑦東京都尖閣諸島寄贈による尖閣諸島活用基金の活用

尖閣諸島の更なる有効支配強化のための提言（骨子案）（自民党国防議員連盟）

後は石垣島にも初動を担任する警備部隊などを配置する。

また、常続監視態勢の強化のため、新型護衛艦（FFM）やE－2D早期警戒機の整備などを行っている。空自は、令和2年3月に警戒航空隊を警戒航空団として格上げし、新編したほか、同年度内に、臨時滞空型無人機航空隊（仮称）を新編する」

また国会でも、9月17日に自民党国防議員連盟が、「尖閣諸島の更なる有効支配強化のための提言（骨子案）」を作成しました（表参照）。

憲法改正しないと自衛隊は尖閣防衛できない

こうして並べると、頼もしく見えますが、二つの疑問が湧いてきます。一つは、尖閣諸島は日本の領土で、かつ中国が奪おうとしているのに、なぜ自衛隊が防衛しないのかということ。もう一つは、中国人民解放軍が近未来に尖閣諸島に侵攻してきた場合、アメリカ軍は出動して、自衛隊とともに戦ってくれるのかということです。

この二つの疑問を、防衛省・自衛隊幹部に質問してみました。すると、「あくまでも個人的見解」と断りながら、こう答えました。

「第一の質問に関しては、もし自衛隊が尖閣諸島を守るとなると、中国側は『日本が中国の領土（釣魚島＝尖閣諸島）に軍隊を送った』として、人民解放軍が総攻撃してくるリスクが高まる。それを避けるため、中国海警局の公船が入ってきた時に、海上保安庁が巡視船でガードするスタイルを取るというのが、日本政府の見解だ。だが、中国側は公船の数を増やしたり、侵入回数や時間を増やすなど、着実に緊張のレベルを上げてきており、いつまでもこのやり方が有効とは思わない。

第二の質問に関しては、島嶼（とうしょ）防衛の日米共同訓練などを増やしてはいるが、実際に尖閣諸島を巡って日中が武力衝突した場合、アメリカ政府は軍を投入することを躊躇（ちゅうちょ）すると思う。太平洋の片隅にある無人島のために、中国との核戦争のリスクを高めたいとは思わないだろうからだ。2014年にロシアがクリミア半島を占領した時も、NATO（北大西洋条約機構）は無力で、欧米は経済制裁しかロシアに科せなかった」

2020年11月12日、菅首相は、アメリカ大統領選で勝利を確実にしたバイデン候補に電話で祝辞を述べ、その直後に記者団に向かってこう明言しました。

「バイデン次期大統領からは、日米安保条約第5条の尖閣諸島への適用についてコミットする旨の表明がありました」

この発言から、多くの日本人は「アメリカ軍が自衛隊とともに尖閣諸島を防衛してくれる」と思ったことでしょう。ところが現実は違うというのです。

それならなおさら、自衛隊に期待がかかります。しかしこの幹部は、いますぐ自衛隊が尖閣諸島を防衛することには賛成しないと言います。

「それは、憲法9条が自衛隊の根本的な手枷足枷（てかせあしかせ）になっていることと、自衛隊が尖閣諸島を巡って中国軍と対決することに対する政府および国民の覚悟が整っていないからだ。結局、安保法を制定しようが拡大解釈しようが、いまの憲法9条がある限り、自衛隊は存分に尖閣諸島防衛に力を発揮することはできない」

日本国憲法第9条の文言は、以下の通りです。〈日本国民は、正義と秩序を基調とする国際平和を誠実に希求し、国権の発動たる戦争と、武力による威嚇又は武力の行使は、国際紛争を解決する手段としては、永久にこれを放棄する。前項の目的を達するため、陸海空軍その他の戦力は、これを保持しない。国の交戦権は、これを認めない〉。このため、「軍隊」でなく「自衛隊」になっており、敵基地攻撃能力を有するミサイル配備などもしていないわけです。もちろん、中国が大量に保有している核兵器も、日本にはありません。

1947年に施行された日本国憲法の改正論議は早くからあって、1955年に結党した自民党の綱領にも「新憲法の制定を目指す」と書かれているほどですが、改正はいまだに実現していません。それは第一に、「この憲法の改正は、各議院の総議員の三分の二以上の賛成で、国会が、これを発議し」「特別の国民投票又は国会の定める選挙の際行はれる投票において、その過半数の賛成を必要とする」（第96条）とあり、ハードルが高いからです。もう一つは、多くの日本人が現行の憲法に慣れ親しんでおり、無理に変えようとは思っていないからです。

ところが、世界を俯瞰すると、ここでもやはり「日本の常識は世界の非常識」であることが分かります。元外交官の宮家（みやけ）邦彦内閣官房参与は、月刊『Ｖｏｉｃｅ』（2020年12月号）に寄せた「巻頭言」で、こう述べています。

〈国立国会図書館の調査によれば、第二次大戦終了後から2016年12月までの70余年間で、米国は6回、カナダが19回、フランスは27回、ドイツが60回、イタリアは15回、豪州が5回、中国と韓国は9回、それぞれ憲法改正を行っている。主要国のなかで同期間に一度も改正されなかったのは恐らく日本の「平和」憲法だけだろう。これって、ちょっと異常ではないだろうか〉

なぜ各国がこれほど何度も憲法を改正しているかと言えば、改正しないと自国の安定的な発展が維持できないからです。ではなぜ日本だけが70年以上、憲法改正をしないで済んでいるかと言えば、四方を海に囲まれた平和を維持しやすい国土であり、かつ世界最強のアメリカ軍が駐留して防衛してくれているからです。

ところがいまや、南西の島（尖閣諸島）を中国が奪取しようとしており、アメリカ軍もあてにならない。そうなれば、早く憲法改正して自衛隊を「普通の軍隊」に変えないと、遠からず中国に奪われてしまうでしょう。またそうしないと、われわれの「尖閣を死守する」という意識も、本気になりません。

地球上の生物が多様化したカンブリア爆発が起こって約5億年になりますが、その間、あらゆる生物の歴史は「弱肉強食」というただ一つの法則に貫かれています。そのため、どんな動物も「自らのテリトリーを守る」ことに全力を傾け、それに失敗した時に滅んでいます。

その意味で、日本が何としても死守していかねばならないのが、尖閣諸島です。早く自衛隊が防衛できる環境を作る必要があります。

私は以前、人民解放軍の将官と会食した際に言われた言葉が忘れられません。

「われわれは、いずれ釣魚島（尖閣諸島）を取りに行く。作戦は簡単で、小さな武力衝突を起こすだけでよい。それで仮に、中日双方に10人ずつ死者が出たとする。すると中国側は、全人民が奮い立ち、『日本を倒せ！』の大合唱となるだろう。ところが日本側は戦慄して、時の内閣が吹っ飛ぶのではないか」

この話を、前出の防衛省・自衛隊幹部にしたところ、苦笑いして語りました。

「残念ながら、その通りかもしれない。日本は憲法だけでなく、あらゆる法律が『警察基準』になっていて、他国が日本を侵略することを前提にした『軍隊基準』になっていない。加えて、中国と一戦交えてでも尖閣を守り抜くという日本政府および国民の意識、覚悟も、十分とは言えない。2012年9月に日本が尖閣を国有化した際、中国全土で巻き起こった反日運動のような気運が、日本にはない。

もしも尖閣諸島を巡って日中が対決したら、いまの法的枠組みの中では、数日間は繕えても、長期戦は戦えない。おそらく『第二のノモンハン事件』になってしまうだろう」

ノモンハン事件は、1939年にモンゴル国境で日本軍と旧ソ連軍とが激突した紛争です。日本軍は開戦当初こそ善戦したものの、やがてソ連軍の物量攻勢に圧倒されました。

いま尖閣諸島を巡って日中が激突すれば、同様の事態を招きかねないと危惧しているわけです。

そんな中、一つの参考になると思われるのが、竹島（韓国名・独島（ドクト））の領土紛争を巡る韓国の動きです。

島根県の竹島は、長年にわたり日本が実効支配していましたが、日本の敗戦後の1952年に、韓国の李承晩（イスンマン）政権が実効支配を始めました（李承晩ライン）。その後、支配をエスカレートさせ、現在では海洋警察庁所属の独島警備隊の他、2人の一般市民ら計30数名が居住しているのです。島内に灯台、ヘリポート、レーダー、漁民宿舎などを次々に設置。郵便ポストまであります。さらに、韓国軍が直接、常駐する議論まで始まっているのです。

韓国側がここまでやる、換言すれば日本側がここまで野放しにさせてしまった原因は、ひとえに日韓両国民の意識、覚悟の差だと思います。もしも竹島を巡って日韓が開戦したら、おそらく韓国人の多くが、自分の全財産を投げ出してでも韓国軍を支援するでしょう。韓国では、毎日の天気予報でも竹島の天気を伝えるなど、竹島の防衛が国民生活の一部になっています。竹島がどこにあるかも知らない日本人が多いのとは、雲泥の差なのです。

尖閣諸島の状況を、この「韓国人にとっての竹島（独島）」のレベルにまで持っていければ、日本は防衛できることでしょう。

日本式の戦略的曖昧性を構築する

米中新冷戦の中で日本が取るべき二つ目は、日本式の戦略的曖昧性を構築することです。日本が、軍事同盟を結んでいるアメリカを重要視すべきことは言うまでもありません。日米合同軍事演習などは、活発に行うべきです。QUAD(クアッド)(日米豪印)の防衛協力の枠組みなどを活用し、「自由で開かれたインド太平洋」を構築することも重要です。

しかしその一方で、日本にとって中国も、2020年上半期の貿易で22・8%を占める最大の貿易相手国です。コロナ禍前の2019年の中国との貿易は全体の21・3%なので、コロナ禍によって中国との貿易比率はむしろ上がっているのです。日中は2020年11月にRCEPに署名したので、今後の日中貿易はさらに増加することが予想されます。日本人がアリババのネット通販でショッピングすることも普通になるでしょう。そんな時、中国を完全に敵に回してしまえば、日本が甚大な経済的損失を被るのは自明の理です。

実はこうしたハムレットのような悩みは、21世紀前半にアジア諸国・地域が抱える共通の心境です。換言すれば、21世紀前半のアジアは、アメリカプレートと中国プレートがぶつかる「地震帯」の上に存在しているようなものです。多くの国や地域が、軍事的にはアメリカに依存し、経済的には中国に依存しているからです。

第3章で、韓国の文在寅政権が行っている「戦略的曖昧性」という戦略を紹介しました。米中2大国のいずれも敵に回さないようにするには、態度を戦略的に曖昧にしておくという考えです。ASEANも大同小異の態度を取っています。日本も早晩、好むと好まざるとにかかわらず、同様の決断を迫られることになるでしょう。

日本には、「中国を捨てて完全にアメリカにつくべきだ」という「脱中国論」もあります。それも一つの手段ですが、そのためには「準備」と「覚悟」が必要です。つまり、中国製マスクの輸入をストップすることから始めて、「経済的困窮に耐え、かつ有事の際にはアメリカとともに中国と戦争するリスクを伴う」ということです。

なぜなら、「完全にアメリカにつく」ということは、近未来に米中の局地的な軍事衝突が南シナ海、東シナ海、台湾近海のいずれかで起こった場合、自衛隊がアメリカ軍と渾然一体となって、人民解放軍と一戦交える方向に向かっていくからです。

中国は、日本がアメリカとともに参戦すると判断すれば、当然ながらアメリカよりも弱くて近隣にある日本を狙い撃ちしてくるでしょう。中国はすでに、日本に標的を定めたミサイルを数百発配備しているという報道も出ているので、日本は1945年以降、皆無だった戦争リスクに巻き込まれることになります。

ところが日本には現在、中国と戦争するというコンセンサスはできていません。そうなると、日本は米中5分5分ではないにしても、2分か3分くらいは、中国側に足を残しておく必要があります。「脱中国」を完成させて中国を完全に敵に回すことは可能ですが、それは日本の国益にも国論にも合わないということです。

ともあれ、2020年代の日中関係で日本にとって大事なのは、中国と競おうとしないことです。経済力や軍事力で中国に抜かれても気にしない。日本が実効支配している尖閣諸島だけは絶対に守りつつ、日本の国益に基づいて、是々非々の賢明な日中関係を築いてゆけばよいのです。例えば、香港の人権問題で中国を非難しながらも、その一方で、脱出を希望する香港人の富裕層に日本の永住権を取らせるといったことです。

表舞台に出た日台関係のキーパーソン

ところで、日中関係を考える際、避けて通れないのが台湾です。

防衛大臣岸信夫——この名前が2020年9月16日に発足した菅義偉内閣の俎上に上った時、「中南海」がザワつきました。安倍晋三前首相の実弟です。

中国最大の国際紙『環球時報』(9月17日付)は菅政権発足の翌日、岸防衛大臣に関する長文の記事を発表しました。そこでは、生まれて間もなく岸家に養子に出された岸信夫氏の数奇な半生を詳述した上で、次のように記しています。

〈岸信夫は、二つの点において注目に値する。第一に、日本政界において著名な「親台派」である。岸信夫は現在も、日本の国会議員の親台団体である「日華議員懇談会」の幹事長を務めている。第二に、岸信夫は何度も靖国神社を参拝している。2013年10月19日、岸信夫は靖国神社を参拝したが、これは兄（安倍首相）の代理で参拝したと見られている。安倍晋三本人も、2013年12月26日に参拝している〉

このように、警戒感を隠せない様子だったのです。

岸信夫防衛大臣は、中国政府が「民族の三逆賊」と呼ぶ台湾の政治家（李登輝元総統、陳水扁元総統、蔡英文現総統）のうち、少なくとも二人と親友でした。李登輝氏とは長年にわたって親交がありましたが、2020年7月30日、97歳で死去します。すると岸氏は、8月9日に森喜朗元首相を代表とする弔問団を組織し、李元総統の弔問のため、台北を訪れました。

その際、蔡英文総統にも面会しています。蔡総統に関しては、総統就任前年の2015年10月に日本に招待し、自分と安倍首相（当時）の故郷である山口県まで、わざわざ案内しています。その時、ある首相官邸関係者はこう述べていました。

「蔡英文氏の宿泊先を、首相官邸から一番近いザ・キャピトルホテル東急に決めたのも岸信夫氏だった。10月8日昼、ホテル特別室のランチの場に、岸氏は安倍首相を連れてきた。日台合わせて十数人のランチだったが、安倍首相は自分がいかに台湾ファンかを熱く語り、大変盛り上がった。だがこのランチは、中国側に配慮して非公表とした」

このように、安倍政権の約7年9ヵ月間、安倍首相が表舞台で中国を担当し、弟の信夫氏が裏舞台で台湾を担当するという役割分担をしてきました。しかし菅政権になって、「台湾担当責任者」が表舞台に登壇したのです。しかもその役職は、中国政府が最も敏感な防衛大臣とあっては、中国側が穏やかでないのもむべなるかなでした。

菅首相が、岸氏を防衛大臣に抜擢した理由は何だったのでしょう？　安倍政権時代の官邸関係者に聞いてみると、こう答えました。

「それは、実兄である安倍前首相に気を遣うと同時に、同盟国のアメリカに、『安倍政権の継承』を示すためだ。2020年のアメリカは、『台湾シフト』を鮮明にし、今後は日本にも役割を求めてくるだろう。そうした日米台の連携に、最もふさわしいのが岸氏の起用だった」

当の岸防衛大臣は、就任会見でこう述べました。

「今月11日に発表された（安倍）総理大臣の談話や菅総理大臣の指示を踏まえ、憲法の範囲内で国際法を順守し、専守防衛の考えのもとで厳しい安全保障環境において、平和と安全を守り抜く方策を検討していきたい」

「11日の総理談話」とは、次のようなものです。

〈迎撃能力を向上させるだけで本当に国民の命と平和な暮らしを守り抜くことが出来るのか。そういった問題意識の下、抑止力を強化するため、ミサイル阻止に関する安全保障政策の新たな方針を検討してまいりました。（中略）今年末までに、あるべき方策を示し、我が国を取り巻く厳しい安全保障環境に対応していくこととといたします〉

これはいわば安倍前首相の「遺訓」とも言うべき「敵基地攻撃能力の保有」です。「敵」とは表向きは北朝鮮ということになっていますが、実際には中国です。12月14日には岸防衛相と中国の魏鳳和（ぎほうわ）国務委員兼国防相との初めての電話会談が行われ、互いの主張をぶつけ合いました。

敵基地攻撃能力の保有は、これから大きな議論になっていくでしょうが、やはり最後は前述のように憲法改正問題に行き着きます。憲法改正は、日本がアメリカ軍ではなく自衛隊によって自国を守るということで、「アメリカからの独立」をも意味します。

いずれにしても、第1章でも述べたように、台湾こそが米中新冷戦の肝になるので、日本は台湾を巡る米中の角逐に最大限の注意を払い続ける必要があります。

日韓関係が悪化した真の理由

日韓関係についても触れておきましょう。

韓国では、２０１７年3月に右派の朴槿恵大統領が弾劾され、任期5年を全うせずに退任。その2ヵ月後に政敵である左派の文在寅大統領が誕生しました。文政権は「積弊清算」をスローガンに、朴政権の全否定に躍起になりました。

ところが水と油の両政権で、一つだけ共通していた政策があります。それは日本軽視です。朴槿恵大統領は２０１３年2月25日の就任演説で、こう述べました。

「今後、アジアにおける緊張と葛藤を緩和し、平和と協力がよりいっそう拡大できるよう、アメリカや中国、日本、ロシアおよびアジア、オセアニア諸国など域内各国とより緊密に信頼を重ねていきます」

この就任式典には、日本政府を代表して麻生太郎副総理兼財務相が参席していました。朴大統領の前任の李明博大統領までは、「アメリカ、日本、中国などとの友好関係を築く」と述べていました。つまり、同盟国のアメリカがトップに来て、２番目は日本、３番目は中国その他となっていたわけです。

ところが朴槿恵大統領は初めて、日本と中国を入れ替え、中国を先に持って来ました。しかも日本をロシアと同等の位置に置いたのです。

それだけではありません。韓国の大統領は就任式典の後、各国の来賓を青瓦台（大統領府）に招いて挨拶する習慣があります。そのため麻生副総理は就任式典が終わるや、青瓦台に駆けつけました。

　同盟国のアメリカはワシントンから要人を派遣していなかったので、麻生副総理としては、当然自分が最初に朴大統領と面会するつもりでいました。ところが青瓦台に到着すると、「すでに外国からの来賓と面会中ですのでお待ち下さい」と言われてしまいます。

「それは誰か？」と聞くと、「タイのインラック首相です」と告げられました。麻生副総理は、「日本はタイよりも後回しなのか」と憤慨（ふんがい）し、その後の朴大統領との面会で、婉曲（えんきょく）的に抗議しました。その後、安倍首相と朴槿恵大統領の日韓首脳会談が実現したのは、2年9ヵ月も後のことだったので、やはり韓国側の日本軽視は相当なものだったのです。そしてこのことは、文在寅政権にも引き継がれます。

　現在の日韓関係は周知のように、徴用工、慰安婦、貿易……と摩擦だらけです。「過去半世紀で最悪の日韓関係」という言葉も、すっかり定着してしまいました。

　日韓は1965年に国交正常化を果たしましたが、過去には中曽根康弘・全斗煥（チョンドゥファン）時代、小渕恵三・金大中（キムデジュン）時代など、蜜月時代も少なくなかったのです。それが、なぜこれほど悪化してしまったのでしょうか？

　日本側は、「韓国側がいつまでも歴史問題をほじくり回すからだ」と批判します。しかし私に言わせると、日韓問題の本質は、歴史問題ではありません。韓国が発展して日本が衰退し、その結果、日韓の国力の差が縮まったことにあるのです。

韓国は国土面積で日本の約4分の1ですが、GDPは3分の1まで来ました。一昔前まで、日本の官僚たちは韓国経済を「九州経済」と陰で称していました。九州経済は日本全体の1割程度の規模で、その先に「もう一つの九州」があるようなイメージだったからです。韓国のGDPが日本の1割を超えたのは1995年です。

ところがいまや、日本の3分の1。軍事費に至っては、日本と同等の5兆円規模まで来ています。その大型の軍事費で、対北朝鮮目的とは思えない空母型艦船や中距離弾道ミサイルを開発しているため、日本の防衛省・自衛隊は大いに警戒しているほどです。

韓国側から見ても、2019年の輸出相手ベスト5は、中国25・1%、アメリカ13・5%、ベトナム8・9%、香港5・9%、日本5・2%。日本は5位で、かつ全体の5%程度の存在なのです。輸入相手で見ても、中国21・3%、アメリカ12・3%、日本9・5%と、日本は3位で1割未満にすぎません。

かつて韓国人に「高嶺（たかね）の花」だった日本航空は、2010年に経営破綻しました。いまの韓国人は、日本も同様に見ているのです。だから日本の言うことを聞かないのです。

菅政権が出帆して2週間後、韓国3大紙の一角である『中央日報』（2020年10月1日付）は、「日本経済の衰退、韓国にとって対岸の火事ではない」と題した意味深な記事を掲載しました。そこにはこう書かれています。

〈日本はアベノミクスで失われた歳月を結果的に追加することになった。革新と労働改革など果敢な構造改革で経済体質を変えることができなかったため、世界経済の角逐に入り込むことができずにいる。すでに日本は戻れない川を渡ったと言えるほど財政拡大と金融緩和を最大化している。それをもとに戻せば円高に回帰し、日本企業の輸出競争力は弱まる。

国家の負債も不安要因だ。日本は消費税を上げて負債を減らそうとしたが、昨年10月に10％に引き上げると、日本経済は急激に萎縮した。ニューヨークタイムズは「安倍の後任の菅義偉はコロナとも戦うことになり、さらに厳しい状況を迎えるだろう」という見方を示した。少子高齢化とともに成長率が鈍化し、国債も雪だるま式に増える韓国にとって、アベノミクスの挫折と日本の終わりの見えない衰退は、対岸の火事ではない〉

このように韓国は、日本の状況を冷徹に直視し、反面教師にしようとしているのです。

私は今後、日韓関係が本格的に改善するのは、日韓の格差が再び開いた時か、逆に韓国が日本にある程度追いついて余裕を持った時、もしくは韓国に何らかの危機が起こって日本を必要とする時のいずれかだと見ています。日韓以外の東アジアは中華圏となっていきつつあるというのに、同じアメリカの同盟国で友好親善が築けないのは残念なことです。

拉致問題を解決する3つの手順

最後に、日本と北朝鮮との関係について述べます。

日朝関係のトゲになっているのは、周知のように拉致問題です。菅首相も、官房長官時代の最後の2年は拉致問題担当大臣を兼任し、首相になってからも再三、拉致問題解決の重要性に言及しています。

拉致問題の解決のためには、北朝鮮側の立場に立って、彼らがどのような対日政策を立てているのかを知る必要があります。

日朝交渉の歴史を振り返ると、これまで国交正常化に近づいたヤマ場が2回ありました。

1回目は、ベルリンの壁が崩壊し、東側共産圏が総崩れになってきた1990年です。この年の秋、金丸信自民党副総裁を代表とする「金丸訪朝団」が、金日成（キムイルソン）主席らと日朝国交正常化の骨子を作ります。私は2020年春、当時の金丸副総裁の秘書で、いまその遺志を引き継いでいる次男の信吾氏にロングインタビューして詳細を聞きました。

妙香山特閣（ミョヒャンサントゥッカク）（金日成主席専用別荘）での金丸・金日成会談で、金主席は二つの誤認をしました。一つは、「自民党のドン」と言われた金丸副総裁と合意すれば、それはすなわち「日本国との合意」であるという誤認です。北朝鮮では朝鮮労働党を支配している金主席の決定は、そのまま「国家の決定」となるからです。ところが日本人のコンセンサスができていないため、当時の海部俊樹政権は日朝国交正常化に慎重姿勢でした。

もう一つは、「日本の決定」をアメリカが容認するという誤認です。冷戦崩壊時のアメリカは日朝接近に反対しており、北朝鮮で核開発疑惑が起こってからはなおさら反対でした。

こうして一度目の日朝交渉は、8回の会談の末、1992年に決裂します。表面的には拉致問題が原因ですが、その背景に北朝鮮側の「二つの誤認」がありました。

2回目のヤマ場は、2002年のアメリカの一般教書演説で、J・W・ブッシュJr.大統領が北朝鮮を「悪の枢軸」と非難し、北朝鮮が武力攻撃を受ける危機感を募らせた時です。そこで北朝鮮は「日本カード」を切り、2002年9月と2004年5月に小泉純一郎首相の訪朝を受け入れました。この時、私は2回とも同行記者として平壌に行き、最前線で取材しています。その詳細は前著『アジア燃ゆ』（MdN新書）で述べているので省略しますが、この時も金正日（キムジョンイル）総書記は、二つの誤認をしました。

一つは、小泉首相はブッシュ大統領と蜜月関係を築いているため、アメリカを説得できると錯覚したことです。しかし実際には、小泉首相は一度目の訪朝直前にニューヨークで会談したブッシュ大統領から、「北朝鮮はウラン型の核開発も進めており、日朝国交正常化はまかりならない」と釘（くぎ）を刺されていました。

もう一つの誤認は、小泉首相は日本で人気が高かったため、日本国内の世論をまとめられると錯覚したことです。こちらも実際には、周知のように蓮池薫(はすいけかおる)さんら５人の拉致被害者が帰国したことで、「拉致被害者を全員返せ！」と世論が沸騰しました。もはや国交正常化どころではありません。

現在の金正恩委員長は、こうした祖父と父親の失敗を熟知しているので、対日交渉には慎重です。それは金委員長の部下たちも同様です。日本では北朝鮮との交渉に失敗しても、外務官僚は国会で弁明させられるくらいですが、北朝鮮では処刑されたり、強制収容所や教化所送りになるからです。

そのため日本側としても、過去の交渉以上に綿密な戦略を立てる必要があります。具体的には、以下の３つの手順を踏むことを提案します。

第一に、金正恩委員長本人、もしくは金委員長が信頼を置く側近にターゲットを絞ることです。これは、金委員長の妹である金与正(キムヨジョン)党第一副部長がベストと思われます。

文在寅政権も２０１８年２月、平昌(ピョンチャン)冬季五輪の開幕式に金与正副部長を招待することから、南北首脳会談にこぎつけました。同様に、２０２１年に延期された東京五輪の開会式に、まずは金与正副部長を招待することに全力を注ぐべきです。

第二に、日本に帰してもらう拉致被害者の数を限定することです。北朝鮮からすれば、「２００２年に５人も生存者を返したのに、日本はまだ言ってきてキリがない」と考えています。そのため近い将来、「調査したらまだ生存者がいた」と回答しても、日本は「もっと出せ」と要求し、永遠に終わらないと判断しているのです。

そこで、例えば「2002年の時と同様、まずは5人の生存者を返してほしい」というように、人数を限定することです。残りの拉致被害者は返してもらわないということではなくて、調査委員会を再度作って、「継続調査」とするのです。

第三に、そうした拉致被害者の帰国と国交正常化とを、完全にバーター（交換条件）にすることです。北朝鮮にしてみれば、2002年には拉致被害者は返したけれども、国交正常化は達成できなかったわけで、日本にイイトコドリされたと恨んでいます。そこで、当時交わされた「日朝平壌宣言」の精神に則り、国交正常化とバーターにするのです。

「日朝平壌宣言」には、「国交正常化の後、双方が適切と考える期間にわたり、（中略）経済協力を実施」すると明記しています。しかし現在の北朝鮮は、国連の厳しい制裁下にあり、日本が経済援助するには国連が経済制裁を解かねばなりません。そして制裁を解くには、アメリカの合意が必要です。というわけで、結局は米朝関係に戻っていきます。

日朝交渉にはタイミングというものがあります。過去2回を見ると、いずれも北朝鮮が危機に陥った時に「日本カード」を切っています。

その点で言えば、2020年の北朝鮮は、国連の制裁、新型コロナウイルス、夏の豪雨被害による大凶作と、「三重苦」に見舞われました。そのため金正恩政権は、過去10年で最大のピンチを迎えています。

さらに2021年1月には、金正恩委員長と3度も会談し、意気投合していたトランプ大統領に代わって、アメリカでバイデン政権が始動しました。バイデン大統領は、「戦略的忍耐」を掲げて北朝鮮を無視してきたオバマ政権時代に副大統領を務めており、北朝鮮に対して厳しい見方をしています。かつ基本的に内政重視で、外交ではイラン核合意を復活させたい思いが強く、北朝鮮問題に対する優先度は高くありません。つまり北朝鮮にしてみれば、アメリカが頼れなくなるわけで、さらに日本に目を向ける機運が生まれるのです。

いずれにしても、21世紀に日本が平和と安定を享受するために、北朝鮮との不正常な関係を終わらせることは重要です。

日本は、明治維新以降、2度の拡張期を経てきました。昭和前期までは軍事的な拡張期、戦後の昭和後期は経済的な拡張期です。

ところが昭和から平成に代わったところで、バブル経済が崩壊し、1度目の縮小期を迎えました。そして平成から令和に代わり、アフター・コロナの時代に起こってくるのは、2度目の縮小期です。少子高齢化もあいまって、これはいかんともしがたいものがあります。

それでも、悲観することはありません。明治維新の前の時代、すなわち江戸時代の日本は、世界の大国ではなかったものの、３０００万人の国民が２６０年にわたって「太平の世」を謳歌してきました。

今後、米中新冷戦には見舞われるでしょうが、最大の「地震帯」となるアジアで共存できる知恵は多々あります。ＡＩ、５Ｇ（第5世代移動通信システム）、ＩｏＴ（モノのインターネット）といった先端技術が社会の前面に出てくるアフター・コロナの時代には、「縮小する日本」であっても、「幸福な日本」になれるのです。

N.D.C. 319　253p　18cm
ISBN978-4-06-522563-9

講談社現代新書　2602
ファクトで読む米中新冷戦とアフター・コロナ
二〇二一年一月二〇日第一刷発行

著　者　近藤大介　© Daisuke Kondo 2021
発行者　渡瀬昌彦
発行所　株式会社講談社
東京都文京区音羽二丁目一二―二一　郵便番号一一二―八〇〇一
電　話　〇三―五三九五―三五二一　編集（現代新書）
〇三―五三九五―四四一五　販売
〇三―五三九五―三六一五　業務
装幀者　中島英樹
印刷所　豊国印刷株式会社
製本所　株式会社国宝社
定価はカバーに表示してあります　Printed in Japan

「講談社現代新書」の刊行にあたって

教養は万人が身をもって養い創造すべきものであって、一部の専門家の占有物として、ただ一方的に人々の手もとに配布され伝達されうるものではありません。

しかし、不幸にしてわが国の現状では、教養の重要な養いとなるべき書物は、ほとんど講壇からの天下りや単なる解説に終始し、知識技術を真剣に希求する青少年・学生・一般民衆の根本的な疑問や興味は、けっして十分に答えられ、解きほぐされ、手引きされることがありません。万人の内奥から発した真正の教養への芽ばえが、こうして放置され、むなしく滅びさる運命にゆだねられているのです。

このことは、中・高校だけで教育をおわる人々の成長をはばんでいるだけでなく、大学に進んだり、インテリと目されたりする人々の精神力の健康さえもむしばみ、わが国の文化の実質をまことに脆弱なものにしています。単なる博識以上の根強い思索力・判断力、および確かな技術にささえられた教養を必要とする日本の将来にとって、これは真剣に憂慮されなければならない事態であるといわなければなりません。

わたしたちの「講談社現代新書」は、この事態の克服を意図して計画されたものです。これによってわたしたちは、講壇からの天下りでもなく、単なる解説書でもない、もっぱら万人の魂に生ずる初発的かつ根本的な問題をとらえ、掘り起こし、手引きし、しかも最新の知識への展望を万人に確立させる書物を、新しく世の中に送り出したいと念願しています。

わたしたちは、創業以来民衆を対象とする啓蒙の仕事に専心してきた講談社にとって、これこそもっともふさわしい課題であり、伝統ある出版社としての義務でもあると考えているのです。

一九六四年四月　野間省一